Einaudi. Stile Libero Big

Dello stesso autore nel catalogo Einaudi

Il treno dei bambini

Viola Ardone

Oliva Denaro

Einaudi

I personaggi e gli eventi di questo libro sono opera di fantasia.
Qualsiasi analogia con persone realmente esistite, vive o morte,
è da considerarsi puramente casuale e non voluta dall'Autrice.

www.einaudi.it

ISBN 978-88-06-24797-3

Oliva Denaro

a Carolina ed Enzo, i miei genitori

Parte prima

1960

1.

La femmina è una brocca: chi la rompe se la piglia, cosí dice mia madre.

Io ero piú felice se nascevo maschio come Cosimino, ma quando mi fecero nessuno si curò del mio parere. Dentro la pancia noi due stavamo insieme ed eravamo uguali, però poi siamo venuti diversi: io con la camicina rosa e lui celeste, io con la bambola di pezza e lui con la spada di legno, io con la vestina a fiori e lui con le braghette a righe. A nove anni lui aveva imparato a fischiare, con e senza le dita, mentre io sapevo farmi la coda, sia bassa che alta. Adesso che ne abbiamo quasi quindici, lui è diventato dieci centimetri piú alto di me e può fare molte cose piú di me: camminare per il paese con il sole e con il buio, mettere i pantaloni corti e, nei giorni di festa, anche lunghi, parlare con le femmine e con i maschi di tutte le età, bere un bicchiere di vino alla domenica con l'acqua dentro, dire parolacce, sputare e, quando è stagione, correre fino alla spiaggia e farsi il bagno di mare con i calzoncini. Io sono favorevole al bagno di mare.

Mia madre, tra noi due, preferisce Cosimino perché lui è chiaro di pelle e di capelli, come mio padre, e invece io sono nera, come il corvo. Non è una brocca, lui. Non si rompe. E se si rompe si rimette insieme.

Io a scuola sono sempre stata brava, mentre Cosimino di studiare non aveva volontà. Mia madre non si dispiacque e gli disse che doveva rimboccarsi le maniche e trovare un buon lavoro per non fare la fine di mio padre. Io lo guardavo nell'orto, accovacciato sulle piante di pomodori: non mi sembrava che avesse fatto una fine, perché a lui, anzi, piace iniziare sempre cose nuove dal principio. Come quando, con i soldi ricavati dalla vendita delle lumache che avevamo raccolto dopo una abbondante pioggia, riuscí a comprarci le galline. Disse che il nome delle bestie potevo deciderlo io, e a me piacciono i colori: Rosina, Celestina, Verdina, Violetta, Nerina… Poi volle costruire il pollaio con le assi di legno e io gli passavo i chiodi, infine la mangiatoia per il becchime e io gli passavo il seghetto. Quando tutto fu pronto, gli chiesi: – Pà, lo tingiamo di giallo?

Mia madre si intromise: – Che gliene cale alle bestie se è nero o è giallo? È sciupío.

– Con il giallo sono piú contente, – osservai, – e quando uno è contento fa piú uova.

– Ah, sí? Te l'hanno detto in un orecchio? – chiese mia madre. Poi ci voltò le spalle e se ne tornò in casa borbottando nella sua lingua d'origine, il calabrese cosentino, che è diverso dal siciliano. Lo parla sempre quando ha i nervi intorcinati per non farsi intendere da noialtri e si lamenta di essersene venuta qua al Sud.

Mio padre prese un pennello, lo immerse nel giallo, lo tirò fuori e il colore gocciolava nel secchio come le uova sbattute pronte per la frittata, mi sembrava addirittura di sentirne il profumino. Io sono favorevole alla frittata.

Dipingevamo insieme e a ogni passata il colore brillava sotto il sole. – Salvo Denaro, hai la testa dura come il coccio: tale il padre, tale la figlia, – disse mia madre quando tornò in cortile. Ogni volta che era adirata lo appellava per nome e cognome, come fosse la maestra a scuola. – Mai una volta che mi dài ascolto. E a te: la gonna buona ti sei messa per lavorare, non sia mai Iddio si sporca! Vatti a cambiare, e mantieniti pulita, – ordinò, togliendomi il pennello di mano. – Te l'ho fatto, il figlio maschio, – aggiunse rivolta a mio padre, e chiamò mio fratello. Cosimino uscí nell'aia e cominciò a pittare controvoglia, ma dopo dieci minuti gli principiò un dolore alla mano e se la svignò alla chetichella. Io nel frattempo avevo indossato il camice per i servizi, cosí ripresi a lavorare con mio padre fino a sera, quando le galline se ne andarono a dormire tutte contente nella loro casetta gialla.

La mattina ne trovammo una stecchita: era Celestina. Per la puzza di pittura, urlò mia madre in calabrese. Per la febbre dei polli, mi sussurrò mio padre. Io non sapevo a chi dare ragione: lei parla parla, e sempre mi elenca tutte le regole, e in questo modo è facile disobbedirle. Mio padre invece fa spesso il silenzio, perciò non riesco mai a capire che cosa devo fare per essere amata.

Come fu e come non fu, seppellimmo la gallina dietro l'orto, lui con l'indice e il medio uniti insieme disegnò una croce nell'aria davanti a sé. – Riposa in pace, – disse, e tornammo in casa. Anche la vita delle bestie è travagliosa, pensai io.

2.

Dopo quel giorno non ho pitturato piú insieme a mio padre. Mia madre dice che se non ho ancora il marchese è colpa sua, perché mi ha cresciuta come un maschio. Io non sono favorevole al marchese, l'ho visto solo una volta e ho provato timore. Una mattina, dopo colazione, entrai in bagno e in un catino trovai un mucchio di stracci macchiati di rosso che navigavano nell'acqua color ruggine. Sembrava il corpo di un piccolo animale moribondo. Mia madre entrò: – Che guardi? – Mi allontanai dal bacile senza rispondere. – È il marchese, – mi rivelò, poi gettò via l'acqua sporca e strofinò i panni con la pietra di sapone fino a farli tornare bianchi. – Viene il giorno che tocca anche a te, – disse, e io iniziai a pregare che quel giorno non arrivasse mai.

Le regole del marchese sono: cammina a occhi bassi, riga dritto e statti in casa. Fino a quando non mi viene, però, posso fare i lavori nell'orto, andare al mercato a vendere le erbe, le rane o le lumache con mio padre, tirare le pietre con la fionda ai maschi ogni volta che prendono in giro il mio amico Saro che è storto di una gamba, correre per lo stradone assieme a Cosimino e ritirarmi tutta sudata e con le ginocchia nere. Alle altre mie amiche il marchese è venuto. Da quel momento, si sono allungate le gonne, sono usciti i brufoli in faccia, ed è spuntato il seno sotto le camicette. A Crocifissa sono cresciuti anche un poco di baffetti e i maschi hanno iniziato a chiamarla «il brigante Musolino». Lei però non se ne cura, va in giro con l'aria sofferente e le mani premute sulla pancia come se fosse gravida e a tutte le compagne che incontra ripete la stessa domanda: – A me è arrivato il sangue, e a te? – come se avesse vinto un premio.

Dai maschi il marchese non ci va proprio. Loro non sono come noi: diventano grandi un poco alla volta, non tutto insieme.

Fuori scuola c'è sempre un parente che aspetta le mie compagne per riportarle a casa, mentre prima se ne tornavano da sole. Quando incrociano i maschi per la via, guardano a terra, anche se lo sanno benissimo che quelli le fissano proprio là, dove i bottoni tirano la stoffa, perciò tengono gli occhi bassi ma la schiena dritta, tanto che le asole rischiano di scoppiare. Sembrano le galline di mio padre. Galline impettite.

Mia sorella grande ha quattro anni piú di me e pure lei era impettita, prima di maritarsi. È chiara di pelle e di capelli come mio padre e quando usciva per strada tutti i maschi la guardavano: piú la guardavano piú si impettiva, piú si impettiva piú la guardavano. Lo so perché la dovevo controllare io, dato che mio fratello Cosimino se ne andava sempre gironzolando. Lei si chiama Fortunata, ma fortunata non lo è piú. Guarda oggi, guarda domani, uno sguardo di troppo e le arrivò un bambino nella pancia. Si scoprí che ce lo aveva messo Gerò Musciacco, il nipote del sindaco. Lo venni a sapere perché dopo cena si riunivano in cucina a parlare, lei, mia madre e mio padre, a voce bassa bassa. Ma segreto non c'era, dato che tutta Martorana ne era a conoscenza.

Il padre di Gerò Musciacco non voleva che il figlio la sposasse perché noi siamo poveri, mia sorella Fortunata piangeva, mia madre batteva i pugni sul tavolo e lanciava maledizioni in calabrese. «Non sia mai Iddio che mi rimani disonorata», si lamentava. Mio padre faceva il silenzio. Io sono favorevole al silenzio. «Con la lupara, ci devi parlare tu con Musciacco, con la lupara!» insisteva mia madre. Lui si versò un bicchiere d'acqua, lo bevve lentamente, si asciugò la bocca con il tovagliolo, si alzò di tavola, disse solo: «Non lo preferisco», e tornò a lavorare nell'orto. Da quel giorno nessuno parlò piú per un mese, tranne mio fratello che era giovanottino e di tante cose non si dava pensiero.

Io credetti che era colpa mia, perché un pomeriggio, invece di fare la guardia a Fortunata, me ne ero andata a casa di Saro a mangiare la pasta con l'anciòva, un manicaretto che sua madre Nardina cucina appositamente per me. Io sono favorevole ai manicaretti. Dev'essere stato allora che quello là ha approfittato per infilarle il bambino nella pancia.

Una mattina mia madre uscí di casa con i vestiti buoni e rientrò quando era già buio. Il giorno seguente Fortunata si svegliò presto e cominciò a ricamare due scarpine bianche all'uncinetto. Mio padre la guardava lavorare. «Tu sei contenta di prenderti questo signore?» chiese. Lei chinò il capo e allungò il filo dal rocchetto. Due mesi dopo si celebrarono le nozze e da quel momento ebbi la stanza tutta per me.

Le regole del matrimonio sono: metti il vestito bianco, percorri la navata fino al prete e dici sí. Durante il banchetto, la signora Scibetta, che abita in un bel palazzo dove io e mia madre andiamo a fare la cardatura dei materassi ogni anno e qualche lavoro di cucito, raccontava a tutti che alla fine il padre di Gerò Musciacco aveva acconsentito perché aveva avuto l'imbasciata da sua cugina, la baronessa Careri, che era stata contattata dal parroco, don Ignazio, che aveva avuto la richiesta da Nellina, la sua perpetua, che era la comare di battesimo di Fortunata e che era stata convinta da mia madre il giorno in cui era partita presto da casa.

Fortunata faceva finta di non ascoltare quelle chiacchiere, però era cambiata: non era piú impettita e l'abito da sposa sembrava che le si scucisse addosso, non per i seni ma per una bella anguria matura che faceva capolino sotto al vestito bianco. Dopo le nozze andò a vivere a casa di Musciacco. Non la vedemmo per tre mesi, poi un giorno Nellina se la trovò in sagrestia, senza pancia e con la faccia stravolta. Il bambino non c'era piú e lei aveva macchie scure sulle braccia e sul viso, disse che era caduta per le scale. La perpetua allora informò la baronessa, che si lamentò con suo cugino, che rimproverò il figlio di stare piú attento a sua moglie. Fortunata tornò a casa sua, mise il vestito nero e fino a ora non se lo è tolto piú. Visite non ne riceve e uscire non esce, cosí almeno non rischia di cadere di nuovo. Gerò invece si svaga tutto il giorno, da solo e in compagnia, come se fosse ancora signorino. Quando passa per strada fissa tutte le femmine giovani come se volesse infilare un bambino dentro anche a loro.

3.

A me fuori scuola non c'è nessuno che mi aspetti. C'è un'altra delle compagne mie che va da sola, Liliana, ma lei è diversa, perché suo padre, il signor Calò, è il comunista del paese. La signora Fina, sua moglie, va a lavorare come se fosse un maschio e lui non si dà pensiero quando la gente mormora che non è capace di mantenere la famiglia.

Calò porta la barba e gli occhialini, si dà arie di uno che ha studiato assai, ma sotto sotto è un fantoccio di paglia, dice mia madre, e stai a vedere che a stento ha fatto la terza media. Lui ha la fissazione di parlare con la gente e ogni secondo giovedí del mese riunisce le persone in un vecchio capanno di reti nella parte bassa del paese, quella vicina al mare, per discutere dei problemi di Martorana, come se poi ne venisse qualcosa. Mondo era e mondo è, dice mia madre. Hai voglia a impastare parole: mai diventano pane.

Liliana dal comunismo del padre ha solo da guadagnare: può uscire senza guardiani, portare i pantaloni come i maschi, leggere i fotoromanzi e i giornaletti con la posta del cuore e le foto delle divinità del cinema. Io a vedere i film non ci sono mai andata perché mia madre dice che fanno nascere grilli per la testa, cosí mi accontento di guardare i manifesti delle pellicole affissi in strada e di ricopiare i volti sul quaderno, ma di nascosto. Liliana parla a tu per tu con gli uomini e io non devo frequentarla perché non è ragazza seria, però io e lei siamo le uniche senza guardiani e dopo la scuola percorriamo un pezzo di strada insieme. Io in principio non le davo parola, poi un giorno lei mi ha mostrato un giornaletto con la foto del bell'Antonio, quello della pellicola. Le ho chiesto se potevo sfogliarlo, perché ogni volta che vedo il bell'Antonio mi viene una languidezza di stomaco, lei non se l'è fatto ripetere due volte, me lo ha addirittura regalato e ha detto: le cose belle vanno condivise, dice il comunismo. Io sono diventata favorevole al comunismo.

Ho infilato la rivista sotto la camicetta e, una volta a casa, l'ho riposta dietro l'asse mobile del letto, dove ho stipato un astuccio con un mozzicone di rossetto che trovai nel bagno della scuola e il quaderno con i ritratti a matita delle divinità del cinema.

Quando frequentavamo la scuola elementare, Liliana e io eravamo le preferite della maestra Rosaria: lei era campionessa nelle moltiplicazioni ma io la battevo in analisi grammaticale. La maestra appuntava le stelline sul grembiulino bianco alle piú diligenti. Le regole delle stelline erano: leggi senza sillabare, scrivi senza macchiare il foglio e calcola a mente, senza le dita. Liliana e io eravamo pari, però lei conosceva alcune parole di politica che aveva sentito alle riunioni di suo padre Calò, e si pavoneggiava. Decisi di specializzarmi anche io: la maestra aveva portato dei libri da casa sua e li aveva sistemati su uno scaffale in fondo all'aula, cosí li potevamo leggere ogni volta che volevamo. Avevano pagine bianche e lisce che scivolavano sotto le dita, le figure colorate e un sacco di animali che ragionavano come i cristiani. Io non sono favorevole agli animali parlanti perché il bello delle bestie è che fanno il silenzio, come mio padre.

A me piaceva il vocabolario: dentro c'erano tanti termini sconosciuti che servono a formulare quei pensieri che uno ha in mente ma non sa spiegare. Una mattina avevo dimenticato a casa il quaderno di matematica, cosí mi alzai in piedi: – Maestra, mi scusi tanto, ho *obliato* il quaderno, – le dissi, per provare il nuovo vocabolo. Lei, invece di punirmi, mi insignì di una stellina supplementare. Disse che la cultura ci salva e ci porta lontano. Io non volevo andare da nessuna parte, mi piaceva solo il suono di quel verbo altisonante.

Quando la maestra Rosaria alla fine della quarta elementare se ne andò, i libri con le figure vennero messi in una scatola e portati via, anche il vocabolario sparí, con tutte le parole dentro. Per fortuna ne avevo ricopiate già tante sul quaderno e potevo sciorinarle ogni volta che volevo. Le persone che mi sentivano mi guardavano con soggezione, come se fossi superiore a loro. Ma mia madre no: quando mi chiese com'era il maestro nuovo che era arrivato al posto di Rosaria, risposi: – È assai tedioso –. Mi arrivarono uno schiaffo e un rimprovero in calabrese: – Non sta bene sentire queste cose in bocca a una femmina, non sia mai Iddio!

4.

Il nuovo maestro arrivò già vecchio, si chiamava Scialò e veniva dalla città ogni mattina con la corriera. Gli mancava poco alla pensione, perciò era tornato qui in Sicilia dopo che aveva insegnato molti anni a Roma, nel continente. Ci raccontava che era stato a pranzo nientemeno che con il ministro dell'Istruzione, e, dato che lo ripeteva almeno una volta al giorno, cominciammo a chiamarlo «signor *minestro*».

Il minestro non faceva lezione come la maestra Rosaria. Il primo giorno estrasse da una borsa di pelle tutta consumata un librino dalle pagine grigie.

– Scrivete, bambine, – e cominciò a dettare una filastrocca dal titolo *L'addio del grembiulino bianco*. L'aveva composta un amico suo e a lui era piaciuta cosí tanto che aveva stabilito di farcela imparare a memoria per l'esame di fine anno.

> Che giorno triste è questo, o mia diletta,
> che ti separi da me!
> Tu forse non senti la stretta
> del mio povero cuore
> che muore.

Chine sui banchi, trascrivemmo sui quaderni i versi della poesia. Era il grembiulino bianco a parlare: si dispiaceva di lasciare la bambina che stava per andare alla scuola media e avrebbe indossato, al suo posto, un camice nero. Prima di separarsi da lei, le dava dei consigli:

Io tremo, bimba, perché
è giunta per te
l'età pericolosa!

Io non sono favorevole ai consigli. Mi ricordano le favole degli animali parlanti. Il minestro si schiariva la voce e continuava a dettare, guardandoci in faccia a una a una, come per avvertirci giusto in tempo del pericolo in cui stavamo per cadere tutte quante.

Conservati virtuosa;
di te non far sparlare,
non farti trascinare
da male compagnie
e butta, butta via
le riviste cattive:
a che varrebbe, mi sai dir, la scienza
se persa è l'innocenza?

– Maestro, «scenza» con la *i*? – chiese Rosalina dall'ultimo banco. Io e Liliana ci guardammo scandalizzate da un capo all'altro dell'aula. – E «innocienza»? – domandò ancora Rosalina, dopo il primo chiarimento del maestro.

– Non ti preoccupare, Rosalina, tu non perderai mai la tua *innocienza* a causa della *scenza*, – mi scappò ad alta voce. Tutte le compagne risero, il minestro smise di dettare e si avvicinò al mio banco. Prima che aprisse la bocca provai a rabbonirlo con il mio trucco. – Maestro, mi scusi la facezia.

– Per diventare una ragazza perbene, – disse lui, – non serve conoscere due paroline in piú. Se le insegno al mio pappagallo ammaestrato, è capace di ripetermele anche lui. Questo è il risultato di certi cattivi insegnamenti, – disse guardando lo scaffale vuoto dove erano stati i libri della maestra Rosaria, e si rimise a dettare.

Pensa a studiar con serietà d'intenti,
e lascia i libri gialli,
lascia i fumetti, e non cercare i balli…

Il mio grembiulino bianco, al termine delle elementari, finí in stracci per lucidare quelle quattro posate d'argento che mia madre si era portata dalla Calabria. Quando me lo ritrovavo davanti per la pulizia settimanale mi sembrava di sentire ancora la voce del vecchio maestro: «Conservati virtuosa, di te non far parlare, non farti trascinare…»

Durante l'estate mia madre mi misurò le spalle, la vita e i fianchi e tagliò la stoffa nera per confezionare il grembiule nuovo. Quando fu pronto, me lo fece indossare, si inginocchiò e volle che girassi su me stessa per verificare che l'orlo fosse pareggiato, poi si alzò e mi prese il mento tra indice e pollice: – Te l'ho fatto a regola d'arte. Mi raccomando, mantieniti pulita.

Il grembiule mi è durato per tutti e tre gli anni, perché l'ho tenuto con cura e anche perché me l'aveva fatto un po' abbondante.

Dopo l'esame di terza, chiesi di poter andare avanti con gli studi, ma lei scosse la testa.

– E che deve fare, la scienziata? – disse a mio padre. Lui non rispose e uscí a lavorare la terra. Una settimana dopo le mostrò un foglio di carta con la sua firma sotto, a lettere storte e grandi: mi aveva iscritta all'Istituto magistrale.

– Se la tua prima figlia non è rimasta disonorata, devi ringraziare me, – gridò lei.

– Tra quattro anni, – rispose mio padre, – con un titolo di studio finito, può fare la maestra ed essere indipendente.

– Indipendente da chi? – fece lei sbrigativa.

– Dalla famiglia, dal marito… – spiegò lui.

– E come lo trova un marito, se continua a tenere la testa sui libri? – ribatté lei.

Mio padre fece il silenzio e se ne uscí a dare il becchime alle galline. Lei gli andò dietro, urlando in calabrese. – Un uomo che non si sa guardare le donne sue, che uomo è? Altro che lupara: pecora sei! Pecora!

Venimmo poi a sapere che anche la signora Scibetta aveva iscritto la sua piú piccola, Mena, cosí il giorno dopo mia madre scucí l'orlo del grembiule, estrasse il tessuto che aveva ripiegato all'interno della cucitura e lo risistemò con il sottopunto. Vidi la stoffa nera sbucare da quella tasca nascosta e pensai che magari fin dall'inizio aveva avuto l'idea di farmi proseguire. O forse era solo molto previdente.

5.

Quando ero piccinna, mio padre andava da solo in campagna a catturare le lumache e al ritorno lo vedevo arrivare da lontano, i capelli biondi brillavano nel sole, mi pareva grande e forte come un gigante. Una mattina mi svegliai all'alba, mentre gli altri ancora dormivano, e gli dissi che volevo andare con lui. Da quel momento sono diventata la sua aiutante. Camminavamo vicini scrutando le foglie e se avvistava le lumache mi stringeva due volte la mano, appena appena. Io ogni tanto mi chinavo a cogliere le margherite in mezzo al campo. Chiudevo gli occhi e muovevo le labbra senza emettere suono: m'ama non m'ama m'ama non m'ama m'ama, m'ama.

Poi un mese fa, mentre eravamo già pronti con le galosce di gomma e i secchi in mano, mia madre mi fissò come se mi vedesse per la prima volta. – Questa gonna è indecente, ti tira sul didietro, – disse. – Dalla a me, ché te la sistemo, non puoi andare in giro cosí.

Non era vero: la gonna scendeva dritta sul mio corpo segaligno come quello di un maschio, ma lei non se ne faceva capace che il tempo passava e io restavo sempre uguale.

– A raccogliere lumache, stiamo andando, mica alla festa del patrono, – risposi. Stirai con le mani la stoffa ispida della gonna per mostrarle che non faceva difetto, ma alla fine andai in bagno e me la sfilai. Ne misi una vecchia e sformata, che mi copriva le ginocchia ossute. Mio padre mi aspettava con la sporta e il coltellino in mano. Alle volte invece delle lumache andavamo a fare le rane, e quelle sono piú difficili: i babbaluci restano buoni e fermi nel loro guscio, attaccati alla roccia, le rane invece saltano dappertutto e si vede che hanno grilli per la testa.

– All'età tua, io già portavo il reggiseno e le calze lunghe, – continuò mia madre mentre raggiungevo mio padre sulla soglia. – Ma ai tempi miei c'era molta piú riservatezza. I genitori non ci lasciavano fare tutti i nostri comodi, come succede oggigiorno. Eppure, di giovanotti che mi guardavano ne avevo tanti...

Per lo stupore mi cadde il secchio di mano: mia madre me l'ero sempre immaginata babbaluci e invece, da giovane, rana era.

– Io mi sono mantenuta sempre pulita, – precisò, – non avevo bisogno della guardia che mi seguiva passo passo. E poi, da noi, chi diceva una parola di troppo rischiava di restare muto per sempre. Oggi è diverso, ci sono troppe libertà: la radio, il cinematografo, i balletti. Cose che a casa mia non si potevano nemmeno immaginare. E la gente non aspetta altro per cucire e scucire la tela a forza di chiacchiere. È capace che te li vengono a raccontare prima ancora che succedono, i fatti degli altri. Per questo le figlie femmine a una certa età bisogna ritirarle. Qua il maschio è brigante, e la femmina è una brocca: chi la rompe se la piglia.

Iniziai a dondolarmi per l'impazienza, spostando il peso da un piede all'altro, piú passava il tempo meno lumache saremmo riusciti a fare: i babbaluci escono dalla terra quando è ancora presto.

– Cosimino, tu te la prenderesti una brocca rotta? – chiese al mio gemello, che indossava ancora il pigiama e aveva i capelli arruffati dal sonno. Lui sorrise perché conosceva già le regole del fratello: controlla tua sorella, falle portare rispetto, minaccia chi non lo fa. E magari si vergognava di avere una sorella che andava ancora in giro con le gonne sopra il ginocchio, gli zoccoletti ai piedi, e che pareva un maschio sbagliato. La figlia bruttina di Amalia e Salvo Denaro, diceva la gente, secca e spigolosa, gli occhi come due olive, la bocca sottile sulla faccia larga e scura, i capelli neri come una cornacchia, ma vuoi vedere che porta pure male, che è una agghiutticàsi? Sempre sola e scarmigliata, se ne va in giro, se la fa solo con Saro, il figlio zoppo di don Vito Musumeci, la madre ricama i corredi e la figlia resta zitella.

Lei, quando mi portava a consegnare i lavori di cucito a casa delle signore, mostrava quanto ero diventata brava a ricamare, e quelle mi regalavano un biscotto o una fetta di pane con un velo di confettura, mi facevano una carezza di consolazione perché pensavano che tanto avrei passato la vita a preparare il corredo alle altre.

– Lascia fare, mà, – rispose Cosimino stropicciandosi gli occhi, – lascia fare, tanto questa brocca qua chi se la piglia?

– Chi se la piglia, se la piglia, – rispose mia madre. – Basta che se la piglia sana. Poi se la piange lui, dopo il matrimonio.

Io non lo so se sono favorevole al matrimonio, non voglio finire come Fortunata, che si è fatta mettere in gravidanza da Musciacco mentre io mi mangiavo la pasta con l'anciòva a casa di Nardina. Per questo in strada vado sempre di corsa: il respiro dei maschi è come il soffio di un mantice che ha mani e può arrivare a toccare le carni. Cosí io corro per diventare invisibile, corro con il mio corpo da maschio e il mio cuore da femmina, corro per tutte le volte che non potrò piú, per le mie compagne con le scarpe chiuse e le gonne lunghe, capaci solamente di camminare a passi corti e lenti, e pure per mia sorella, che è rimasta tumulata in casa come una morta ma ancora viva.

– Quietati, Oliva, – disse alla fine mia madre. – A fare le rane e le lumache da oggi in avanti ci va tuo fratello. Non è cosa da femmine.

Mi tirò per un braccio e mi costrinse a sedere.

– Cosimino non ci ha l'esperienza, – intervenne mio padre, guardandosi la punta delle scarpe.

– E tu, che cosa ci stai a fare? Nemmeno a pigliare le lumache sei capace di insegnargli, che altro prendere non sai?

Cosimino si andò a preparare di malavoglia, poi raccolse la mia sporta e seguí mio padre fuori dall'uscio. Li vidi dalla finestra sparire nei campi, mentre il sole si alzava, senza dirsi parola.

6.

– Oliva! Che guardi, le mosche?

Mamma mi chiamò dalla cucina. Io ero alla finestra e aspettavo di vedere mio padre per corrergli incontro a scattafiato e contare i babbaluci. Avevo timore che Cosimino fosse riuscito a farne piú di me.

– Hai cambiato l'acqua? – disse mentre strofinava le mattonelle. – Sí, – risposi, trascinai il secchio in camera da letto e mi chinai per specchiarmi nell'acqua.

– La vanità è figlia del dimonio, – sentenziò lei. Distolsi lo sguardo dal secchio e provai vergogna. Lei stava accucciata di schiena e strofinava con la spugna rasposa. – Anche io ero vanitosa alla tua età, che credi, e trascorrevo il tempo a rimirarmi, ma poi passa, – tossí rauca, che è il suo modo di ridere. – Diventi bella, i giovanotti ti guardano per strada, prendi marito, fai i figli e passa.

Strizzai lo straccio e mi accovacciai accanto a lei a fare le piastrelle. A me sembrava che lei la bellezza ce l'avesse ancora, mentre la mia faccia compariva nel tondo del catino dello stesso colore dell'acqua: grigia e opaca.

Andò a rovesciare il secchio nell'orto dietro casa e si asciugò il sudore sulla fronte con l'avambraccio. – Mia madre ne teneva altre quattro, oltre a me, tutte femmine, – continuò a raccontare. – Due piú grandi e due piú piccole. Il maschio non era arrivato. Mio padre ancora tentava ma lei non ne voleva sapere piú. Cinque ne dobbiamo maritare, Mimmo, cinque, diceva aprendogli la mano davanti alla faccia con le dita allargate. Io mi credevo la piú bella: la vanità fu la rovina mia.

Presi a strofinare il pavimento con maggiore energia, la sua confidenza mi imbarazzava. Lei proseguí. – Venni mandata a fare le pulizie nello studio di un notaio con la speranza, non dico che mi sposasse proprio lui, ma almeno qualcuno di passaggio nello studio, un praticante, un avvocato, uno che aveva avuto un bel lascito... Invece mi incapricciai di un giovane siciliano che era venuto per firmare una rinuncia all'eredità. Un suo zio calabrese era morto lasciando solo debiti. Era biondo, con gli occhi verdi, parlava poco e aveva i modi gentili. Mia madre mi disse: e tu, per venti centimetri di faccia, ti vuoi rovinare la vita?

Fece di nuovo la sua risata roca, che si confonde con la tosse.

– Non volli darle ascolto, cosí ce ne scappammo. Organizzammo la fuitína: attraversammo lo stretto di notte, c'era il mare grosso. Altro che luna di miele: i fiori d'arancio li vidi nel bagno della nave con lo stomaco intorcinato!

Si passò la mano sul ventre, come se provasse ancora dolore.

– Aveva ragione la buonanima di mia madre. Se n'è andata sgravando l'ultimo figlio, quello maschio che mio padre aspettava. Tutti e due insieme, se ne sono partiti, pace alle anime loro. Tu, invece, devi sempre dare ascolto a tua madre. Gli occhi miei ti seguono in ogni momento, io ti guardo anche quando tu non vedi me. La vanità è figlia del dimonio.

Io non sono favorevole al dimonio. Cosí andai fuori a gettare l'acqua e, quando vidi arrivare mio padre, seguito da Cosimino con il secchio in mano, non ebbi il coraggio di contare le lumache per stabilire se gli ero mancata.

7.

Liliana non è come me: lei è bella, ma nonostante questo a maritarsi non ci pensa proprio. Dice che una donna ha bisogno dell'uomo come una pecora di un vestito da cerimonia.

– E che vita farai? – le chiesi un giorno mentre insieme tornavamo da scuola. – Vita da vagabonda? E poi la femmina che non sgrava si ammala di nervi, dice mia madre.

Liliana mi passò un nuovo giornaletto che nascosi in mezzo ai libri e sorrise. – Andrò a lavorare, in continente.

– A servizio tutta la vita, vuoi stare?

– Mica l'unico mestiere per una femmina è il servizio! La deputata in parlamento vado a fare, come Nilde Iotti.

– E chi è? Un'amica di tuo padre? – Liliana sollevò le sopracciglia con aria di superiorità, come quando alle elementari lei riceveva una stellina e io no. Sentii un morso di gelosia: non sapevo chi fosse quella Nilde e ignoravo perfino che esistesse la parola «deputata». Sul vocabolario della maestra Rosaria il femminile di alcune parole, come ministro, sindaco, giudice, notaio, medico, non c'era nemmeno.

– Dice mio padre che il cambiamento deve partire proprio da noi donne del Sud, perché ci hanno insegnato per secoli a stare in silenzio e adesso dobbiamo imparare a fare rumore, – mi spiegò, come se parlasse a una piccinna.

– Una femmina che fa rumore non è seria, – risposi, perché cosí diceva mia madre. Liliana non commentò e continuò a camminare, poi si fermò, mi prese per mano e sorrise. – Perché qualche volta non vieni alle riunioni nel capanno?

– Non sta bene, ci sono i comunisti! – risposi senza pensarci, e subito dopo mi imbarazzai.

– Partecipano tante persone, alcune che non ti potresti nemmeno immaginare, – fece con l'aria misteriosa.

– Ci venne la Scibetta? – chiesi sgranando gli occhi.

– Ci venne tuo padre, piú di una volta.

Mi sentii il sangue agitato e cambiai argomento. Non volevo sapere se era la verità.

– Se ci ripensi, ti regalo tutti i giornaletti che ho a casa.

Dietro l'asse mobile del letto tenevo nascosti i quaderni su cui ricopiavo i volti dei personaggi divisi per categorie, secondo la trama delle pellicole: «brune sfortunate», «bionde frivole», «rosse scandalose» (qui però avevo solo il disegno di Rita Hayworth), «figlie del dimonio», per le femmine. «Buoni e coraggiosi», «brutti e cattivi», «innamorati sfortunati», «belli e pericolosi», per i maschi. Una sezione a parte era dedicata al bell'Antonio.

Se Liliana mi dava tutti i numeri arretrati, ci potevo riempire altri due quaderni, pensai, mentre la voce di mia madre che mi parlava nella testa si faceva sempre piú fievole.

– Anche gli inserti speciali? – chiesi, per sicurezza.

Liliana abbassò il mento per dire di sí.

Arrivata all'incrocio con lo stradone, svoltai per lo sterrato e presi a correre verso casa. Poi mi fermai e gridai verso di lei: – Allora ci vengo, – e ricominciai a trottare.

8.

Invece non ci andai. Però un giorno, dopo le lezioni, Liliana mi invitò a casa sua per aiutarla a fare dei ritratti, cosí accettai per pavoneggiarmi di quanto sono brava nel disegno. Mi aspettavo di trovare le tele e i colori, ma lei mi fece entrare in uno sgabuzzino buio con dei fili per i panni tesi da un capo all'altro.

– Col sole che ci sta fuori, proprio qua dentro devi stendere il bucato? – dissi. Poi mi avvicinai e scoprii che, attaccate con le pinze, non c'erano panni lavati ma fotografie. – Vieni, – disse portandomi per mano davanti a uno dei fogli che aveva appena appeso al filo. – Che cosa vedi?

Io fissai la carta rettangolare, non c'era niente. – Non lo so, è buio qua dentro, – dissi a disagio.

– Non devi avere fretta. Una cosa è guardare e un'altra è vedere. È un'abilità che si impara.

Mi sembrava come alle elementari, quando voleva essere sempre la prima della classe, anche se ora che eravamo alle superiori ero io la piú brava a ripetere le declinazioni alla professoressa Terlizzi. Strinsi gli occhi come quando dovevo centrare la cruna dell'ago. Forse era per lo sforzo, ma mi sembrava che qualcosa venisse fuori piano piano dal bianco della carta.

Liliana sorrideva, perché lei questo gioco l'aveva già fatto. A furia di fissare, gli occhi mi si riempirono di lacrime e non riuscivo piú a distinguere le forme sulla carta dall'ombra delle mie ciglia umide. Cosí li chiusi e me li sfregai: quando li riaprii, davanti a me era comparsa una figura, una ragazzina scura, con i capelli in disordine e le ossa sporgenti. Sentii una languidezza di stomaco e un calore che da un punto sotto la pancia si diffondeva per tutto il corpo.

– Mi hai presa di nascosto!

Abbassai gli occhi. Non mi piaceva vedere la mia faccia mentre non sapeva di essere guardata. E poi, se il Signore Iddio mi aveva fatto brutta, non era mica colpa mia. Liliana sciorinò alcune pellicole marroni che si arricciavano come pelli di serpente.

– Non ti piace la foto?

– Non lo so.

– Ti sembra fatta male?

– È fatta bene, per questo non mi piace.

Quella che aveva appena strappato il pallone a uno che prendeva in giro Saro perché cammina storto, quella che era corsa a scattafiato senza guardarsi indietro, quella che dopo un po' si sarebbe fermata, avrebbe raccolto una pietra e l'avrebbe tirata con la fionda, quella scimmia nera e spettinata ero proprio io.

Liliana sorrise un po' ma io ero scontenta. – È la prima volta che mi vedo in un ritratto, e comunque guardarsi non sta bene: la bella si rimira e la brutta si marita, dice mia madre.

Mi voltai di nuovo e mi avvicinai al foglio con la mia faccia sopra.

Liliana aprí un cassetto e si mise a cercare. Estrasse uno specchietto con il manico di legno, dal lato che non rifletteva aveva il volto di una bambola fatta con la stoffa e le trecce di lana marrone. – Tieni, – disse. Lo rigettai con la mano, però lei insisteva, cosí ci guardai dentro.

Le labbra piene, non come quelle di Liliana ma neanche piú le labbra di una bambina, gli occhi come due foglie sottili e allungate, con al centro due olive nere, il naso piccolo e dritto, le sopracciglia folte. Mia madre aveva mentito: non ero brutta.

– Me ne devo andare, – dissi.

– Questo è un regalo, – decise Liliana, mentre continuava a srotolare la pellicola. Mi infilai lo specchietto nella cintura della gonna di nascosto, come se mia madre potesse vedermi. Feci due passi verso la porta, poi tornai indietro e fissai ancora l'immagine che mi guardava appesa alle mollette. Non mi sembrò piú cosí estranea.

– Perché hai fotografato proprio me?

Liliana mi afferrò la mano con le sue dita sottili, cosí diverse dalle mie, che sono scure e nodose come radici di magnolia.

– Vieni a vedere, – disse e mi guidò in uno studio buio e senza finestre. Attaccate alle pareti, impilate in scatoloni stipati sul pavimento c'erano altre foto: Liliana che giocava con una bambola bionda, Geppino il chianchiere che affilava i coltelli dentro la macelleria, tre ragazzi sudici con la cerbottana che prendevano di mira una donna affacciata al balcone, il parroco che si sfilava la veste, due ragazze che camminavano con gli occhi bassi e un giovanotto con le labbra accostate in un fischio. Io e lei che tornavamo da sole a casa, dopo scuola. In una c'era mio padre, mi sembrò, o forse era solo un contadino che camminava in lontananza, verso il tramonto. – Le ha fatte mio padre, – disse. – Qualche volta le manda al giornale che gliele paga un tanto a foto.

– Ce ne sono a migliaia di facce cosí, – rispondo. – Che cosa hanno di bello?

Tra contadini con le scarpe bucate e donne con i fazzoletti neri attorno al viso, c'era l'immagine di un uomo steso in strada, coperto da un lenzuolo bianco da cui spuntavano solo le scarpe, con una macchia scura al centro. Sembrava nera perché nelle foto i colori non ci sono e bisogna inventarseli. E poi una piazza con tre morti, senza lenzuolo, e intorno il sangue nero. Mi portai le mani sugli occhi.

– Fotografare i morti è sacrilegio, – dissi.

– Mio padre fotografa la vita, e nella vita ci sta tutto. Anche quello che uno non vuole vedere.

– Me ne devo andare, – dissi, nella stanzetta faceva troppo caldo. La vanità è figlia del dimonio, ripeteva la voce nella mia testa.

9.

Quando tornai a casa, mia madre non c'era. Era andata a casa di Pietro Pinna, il nostro vicino, per la veglia funebre del padre, che si era spento a ottantacinque anni. Le regole dei funerali sono: vestiti di nero, fai le condoglianze e piangi lacrime vere. Quando in paese moriva qualcuno, sempre lei chiamavano per le preghiere, perché sapeva disperarsi anche davanti ai morti sconosciuti. Ritornava da noi con la faccia distesa, come se quel pianto le avesse risciacquato le guance.

Mi chiusi in camera, staccai l'asse mobile del letto per nascondere lo specchio di Liliana e mi rotolò in mano il rossetto. Aprii il tubetto e feci ruotare la sezione inferiore fino a veder spuntare pochi millimetri residui di rosso brillante. Accostai l'orecchio alla porta per sincerarmi che nessuno potesse scoprirmi. Fissando la mia immagine, arricciavo le labbra e aspiravo le guance in dentro, come le divinità del cinema sulle réclame pubblicitarie. Lo strofinai sulla bocca, che istantaneamente si tinse di rosso. Feci un'altra passata: la pasta del rossetto mi solleticava la pelle e mi dava una languidezza di stomaco. Le mie labbra spiccavano, ora, al centro dell'ovale scuro, sembravano risucchiare tutti i lineamenti. Ero io quella bocca? Ero io quella faccia al centro della cornice di legno? Sollevai il mento, socchiusi gli occhi e appoggiai le labbra sulla superficie. Il freddo si appiccicò alla bocca, mi staccai con vergogna. Sul vetro era rimasta una macchia rossa a forma di cuore, un po' sfocata. In quel momento sentii un dolore al basso ventre, che si espandeva verso la schiena, come se qualcosa mi ribollisse nelle viscere. Pensai che era la punizione del dimonio. Forse nella mia pancia si era infilato un bambino, anch'io sarei stata gravida come Fortunata e mi avrebbero data a qualcuno in fretta e furia, prima che il bambino potesse uscire.

Corsi in bagno e mi strofinai la bocca fino a che non mi bruciarono le labbra.

Mia madre a cena non si accorse che non mi ero mantenuta pulita, e mentre risciacquava i piatti aveva il viso lieto: il pianto dei morti le aveva lasciato il sorriso. Non era vero, allora, che gli occhi suoi potevano controllarmi in ogni istante.

10.

Il capanno era buio e puzzava di pesce, Liliana sedeva in prima fila con un quaderno aperto in grembo e una penna in mano. La riunione era già iniziata e mi sistemai in fondo a tutto, in piedi, vicino alla porta. Antonino Calò stava al centro della stanza, parlava poco e guardava le persone dritto in faccia, che è una cosa che non sta bene, specialmente nei riguardi delle femmine, diceva sempre mia madre. Per fortuna io ero nascosta dietro un ammasso di vecchie reti, cosí i suoi occhi non mi arrivavano addosso. Di femmine c'erano solo alcune vedove che, essendo morto il marito, il Signore Iddio lo abbia in gloria, potevano fare i comodi loro. Io sono favorevole alle vedove, perché appartengono solo a sé stesse.

Calò aveva una voce di femmina, parlava a ognuno con dolcezza e non dava torto a nessuno. La riunione era noiosa e non capivo perché mia madre mi avesse proibito di andarci, ma a quel punto non potevo muovermi, incastrata dietro al groviglio di reti. Calò faceva un sacco di domande. Domande facili: che cos'è la donna? Che cos'è l'uomo? Quali sono le qualità dell'uno e dell'altra? Cose che pure i piccinni delle elementari sanno: le femmine fanno le femmine e stanno a casa, e i maschi fanno i maschi e portano i soldi. Ognuno diceva la sua risposta e Liliana segnava tutto, come quando prendeva appunti durante le lezioni della professoressa Terlizzi. A volte due non erano d'accordo tra loro e venivano a contrasto, allora Antonino Calò con quella sua vocina spiegava che non c'era da litigare, che stavamo là solo per confrontarci e per capire. Ma allora a che serviva dire il proprio parere se nessuno sapeva se era giusto o sbagliato? La maestra Rosaria, per esempio, quando rispondevamo male ce lo diceva. Uno si dispiaceva, però almeno imparava. Una volta, mentre facevamo l'analisi grammaticale, ci aveva dettato la frase: «La donna è uguale all'uomo e possiede i medesimi diritti». Tutte noi bambine ci eravamo incurvate sul quaderno e avevamo iniziato a compitare: *la*, articolo determinativo, femminile, singolare; *donna*, nome comune di persona, femminile, singolare. A me però non suonava bene questa cosa: femminile singolare.

«Maestra, l'esercizio è sbagliato», avevo detto prendendo coraggio. La maestra si era toccata i riccioli rossi che portava sempre sciolti e vaporosi.

«Che cosa vuoi dire, Oliva? Non capisco».

«La donna non è mai singolare», avevo risposto.

«Una donna, tante donne, – aveva contato sulle dita. – Singolare, plurale».

Io però non ero convinta. «La donna singolare non esiste. Se è in casa, sta con i figli, se esce va in chiesa o al mercato o ai funerali, e anche lí si trova assieme alle altre. E se non ci sono femmine che la guardano, ci deve stare un maschio che la accompagna».

La maestra aveva fermato a mezz'aria le dita dalle unghie laccate di rosso e aveva arricciato il naso, come sempre faceva quando pensava.

«Io una donna femminile singolare non l'ho vista mai», avevo proseguito timidamente.

Lei aveva sospirato e aveva dettato un'altra frase, cosí tutte ci eravamo sporte di nuovo sui banchi a disegnare le lettere in corsivo. Avevo pensato di aver detto una cosa talmente sciocca da non meritare una risposta, ma al suono della campanella, mentre le altre uscivano, lei mi aveva chiamato alla cattedra. I suoi capelli, da vicino, avevano un profumo che mi faceva venire una languidezza di stomaco, e pensai che i maschi la seguivano in strada proprio per annusarne l'odore.

«Forse hai ragione tu, Oliva, – mi aveva spiegato. – Però la grammatica serve anche a modificare la vita delle persone».

«E che significa, maestra?» ero mortificata perché mi sembrava di non aver capito.

«Che dipende da noi, il femminile singolare, anche da te».

Mi aveva passato la mano sul viso, le sue dita erano pelle di pesca. All'uscita dalla scuola ognuna si era incamminata nella propria direzione: io, come al solito, di corsa, lei facendosi strada tra gli occhi degli uomini.

Alla fine dell'anno, il direttore era entrato in classe per comunicarci che la maestra Rosaria si era trasferita in un'altra scuola e che sarebbe arrivato un nuovo insegnante. Le maleforbici cominciarono a lavorare: si disse tutto e il contrario di tutto; che aveva un amante, piú di uno anzi, che era stata vista in atteggiamento affettuoso con un ragazzo piú giovane di lei, che era rimasta incinta e che si era tolta il figlio di nascosto, che se la intendeva proprio con il direttore e per questo era dovuta andare via da Martorana. Il direttore però era ancora al suo posto.

Chi lo sa, se c'era andata anche lei dentro il capanno delle reti, magari in prima fila, accanto a Liliana, parlando di fronte a tutti e scuotendo i riccioli profumati. Senza vergogna.

– E della donna che lavora, che ne pensate? – chiese a un certo punto Calò. Non parlava in dialetto ma pronunciava tutte le parole in italiano, scandendo lentamente ogni sillaba, come Claudio Villa quando canta *Mamma son tanto felice*. Ogni volta che tirava fuori una domanda, nessuno parlava, al principio. Si sentiva solo un chiacchiericcio leggero come un soffio: il rumore silenzioso che fanno i commenti della gente. Qualcuno rideva dando di gomito al vicino, le poche femmine presenti guardavano per terra, Liliana sollevava la penna dal foglio e aspettava. Poi qualcuno iniziava con uno scherzo, tanto per far ridere gli altri.

– Una donna, Calò? E che lavoro vuole fare una donna? – esordí uno corto e tarchiato che di spalle sembrava don Ciccio il merciaio.

– La bersagliera? – fece uno spilungone nell'angolo, strizzando l'occhio al vicino.

– Non lo so, – continuò Antonino Calò senza cambiare il tono della voce. – Voi che dite? Ci sono lavori piú adatti?

Tutti restarono in silenzio, come se stessero pensando per la prima volta a una cosa che non avevano mai preso in considerazione, se non nelle barzellette.

– Servizi in casa di altri, – rispose uno piú giovane con una giacca color carta da zucchero.

– Il cucito. I capelli alle altre femmine. Cose che si possono fare a domicilio, – confermò un altro, dal lato opposto della stanza.

– Allora, mi dite che le donne possono lavorare solo in casa? – chiese Antonino Calò senza far capire quello che pensava lui. Lasciava parlare, e cosí alle persone cominciavano a nascere i dubbi, non ridacchiavano piú.

– Ci sono lavori che non sono adatti, posti di responsabilità come ad esempio il giudice. Ve la immaginate una femmina con la toga sulla veste? – chiese quello che sembrava don Ciccio.

– Il mondo sottosopra, – commentò il suo vicino.

– Perché, non potrebbe essere che la legge cambi e che il concorso in magistratura venga aperto anche alle donne? – intervenne Liliana

– Non è solo questione di legge, – rispose un giovane con i capelli neri e ricci e un ciuffetto di gelsomini dietro l'orecchio, che non ricordavo di avere mai visto prima, – è la natura femminile che è diversa da quella maschile. La donna è volubile, è lunatica, ci sono giorni del mese in cui ha la mente offuscata. E se deve dare giudizio proprio in quei giorni, che fa? Manda in galera il giusto per il peccatore?

– Però può insegnare, – ribatté Liliana. – E se può fare la maestra, che è pure un lavoro di grande responsabilità, allora può svolgere anche altre professioni.

– La maestra? – replicò il giovane con i capelli ricci. – Come quella rossa che dava amicizia a tutti quanti? – Fece l'occhiolino e prese a giocherellare con un'arancia che lanciava in aria e poi riprendeva al volo. I maschi intorno ridevano e io mi sentii le guance che mi bruciavano, come se mi avessero schiaffeggiata.

– Una sbrigugnàta era! – disse allora una donna accanto a me.

Non riuscii a trattenermi e sibilai tra i denti: – Invidiosa!

– Invidiosa, a chi? – strepitò lei.

– A chi è buona solo a fare il taglia e cuci addosso alle persone che non ha nemmeno conosciuto, – le risposi con la voce che tremava dalla rabbia.

– Pure le mocciose tengono diritto di parola?

– Se lo tengono le vecchie zitelle...

Tutti si erano voltati verso di me. Liliana bisbigliò qualcosa all'orecchio di Calò, che mi individuò nel mio nascondiglio.

– Di' pure, Oliva, ti ascoltiamo.

– Io non ho niente da dire... – balbettai imbarazzata.

Liliana, dall'altro capo della sala, mi fece un cenno con la mano per incitarmi a parlare.

– La maestra Rosaria... – iniziai, ma mi bloccai subito.

– Era la tua insegnante? – chiese Calò facendo qualche passo nella mia direzione. Io abbassai il mento e lo rialzai.

– La conoscevi bene, quindi.

– L'ho avuta per quattro anni. Poi è dovuta... partire.

Guardavo i maschi per spiare chi aveva ancora voglia di ridere e chi no. Antonino Calò aspettava che io andassi avanti, senza fretta.

– Era brava, la maestra Rosaria, e non era una svergognata. Ci insegnava le tabelline, i verbi, l'analisi grammaticale, gli antichi Romani e i capoluoghi di provincia.

Nessuno parlava, Calò restò rivolto verso di me, in attesa che parlassi ancora.

– Diceva che la donna e l'uomo valgono uguale, – continuai. – Che la donna deve avere la stessa libertà...

– La sbrigugnàta! – tuonò ridendo quello con i ricci, mettendosi in tasca l'arancia. Quando mi puntò gli occhi addosso lo riconobbi: era il figlio del pasticciere. Da piccinna entravo nel negozio e lui, che era piú grande di me, sorrideva da dietro al banco, affondava la punta del coltello nell'impasto di ricotta e zucchero e me lo faceva assaggiare. Il composto dolcissimo si scioglieva sulla mia lingua e mi sentivo una languidezza di stomaco. Poi, da un giorno all'altro, non lo vidi piú, il mio dolce preferito diventarono le paste di mandorla.

– Dovreste avere l'amabilità di parlare uno per volta, chiedendo la parola, – intervenne Calò, con calma. – Continua, Oliva, per cortesia.

– Se la maestra Rosaria era senza vergogna, non era per quello che dite voi, – mi feci coraggio, – ma perché non aveva niente di cui vergognarsi, non aveva mai fatto male a nessuno. Il male glielo avete fatto voi.

Quello dell'arancia mi sorrise e fece il gesto di applaudire. I maschi nel capanno borbottarono, la vecchia accanto a me si strinse nello scialle e se ne andò. La riunione era finita, eppure nessun altro si muoveva. Aspettavano che Calò dicesse qualcosa.

– Allora, oggi forse potremmo concludere con le parole di Oliva, che ci ricorda che bisogna provare vergogna solo quando si fa del male agli altri, una cattiva azione, un crimine. E anche un'altra cosa, se ho capito bene, che è difficile giudicare le persone quando non le conosciamo, solo per sentito dire. È vero, Oliva?

Sentii queste frasi mentre mi facevo largo a spinte per trovare l'uscita. È vero, Oliva?, continuavo a chiedermi mentre correvo verso casa. Non lo sapevo se era vero o no. Non sapevo nemmeno per quale motivo proprio io, che cercavo sempre di essere invisibile agli adulti, mi ero messa a parlare cosí davanti a tutti. Perché ci ero voluta andare, in quel capanno? Per i giornaletti di Liliana, perché c'era stato anche mio padre o per accertarmi che mia madre non potesse vedermi ovunque andassi? Mentre scappavo verso casa mi sentivo anche io una svergognata.

II.

Arrivai in fondo allo sterrato col fiatone. Davanti alla porta di casa, le galline razzolavano libere, come scolarette svogliate che non volevano saperne di tornare in classe.

– Sciò, sciò, – presi a battere le mani, ma quelle niente, mi guardavano con una faccia tosta. – Chi vi ha fatte uscire… Cosimino, – chiamai, – le galline sono fuori dal pollaio!

Ma Cosimino non c'era: sempre in giro e nessuno mai gli diceva una parola. Neanche mamma era in casa: era andata a consegnare un lavoro di cucito alla signora Jannuzzo, che l'inverno scorso aveva perso una figlia della mia età per una malattia ai polmoni. «Vado io sola, per rispetto della signora Jannuzzo», diceva quando doveva recarsi da lei. Come se fosse una mancanza di riguardo avere una figlia ancora viva. Io però ero contenta, cosí mi poteva capitare qualche volta di rimanere sola. Se non fosse stato per la signora Jannuzzo mica ci sarei potuta andare al capanno delle reti.

– Sciò, sciò, – gridai ancora, sospingendole verso la gabbia. – Rosina, Verdina, Violetta, Nerina… Le contai e per fortuna c'erano ancora tutte. – Che brave, non siete scappate!

Le ricondussi dentro e chiusi la rete: quelle ripresero a zampettare contente, quasi sollevate che la fuga non fosse riuscita. – Brave, – ripetei, – brave le sceme, cervelli di gallina siete, veramente. Amate la gabbia piú che la libertà.

Le galline mi guardavano e spostavano la testa avanti e indietro con piccoli movimenti ottusi: che ne potevano sapere della libertà, loro che in gabbia ci erano nate e cresciute? Allora iniziarono a farmi piú pena che rabbia. Chi in prigionia ci è sempre stato l'indipendenza non se la può nemmeno rimpiangere. – È vero, Violetta? È vero, Nerina?

E poi, che vita può fare una gallina libera? Mi venne di nuovo in mente la maestra Rosaria. Dove se n'era andata quando aveva dovuto lasciare la scuola e il paese? Che cosa aveva fatto, una volta che la rete si era aperta?

«Una vita da sbrigugnàta», mi rimbombava dentro la testa questa frase. Non l'avevo pensata io, ma qualcun altro al posto mio. Uno dei maschi dentro al capanno che ridevano in modo sguaiato, e che magari le avevano fatto il fischietto mentre attraversava la piazza, oppure una di quelle donne che dicono solamente cattiverie sul conto degli altri, le maleforbici. Io sono diversa, pensai, ma loro sono dentro di me. Io sono Oliva Denaro, e sono pure loro: la vecchia sdentata seduta accanto a me dentro al capanno, le comari vestite di nero radunate per il rosario, le compagne di scuola con le gonne lunghe e gli occhi bassi, Crocifissa che si vanta di avere il marchese. Sono anche mia madre, e un giorno diventerò come lei senza nemmeno avere il tempo di accorgermene. Galline, siamo noi, femmine di pollaio. E io non sono favorevole al pollaio.

– Ben vi sta, ben vi sta! Scappare, dovevate... – gridai, aprii di nuovo il portello e quelle povere bestie spaventate presero a svolazzare per l'aia mentre le scacciavo.

– Galline sono, mica galeotte! – mi fece sobbalzare una voce alle mie spalle.

Mi girai di scatto con il cuore in gola. Dalla penombra spuntò Liliana e fece due passi verso di me.

– Sei venuta a scattare altre foto di nascosto? Te l'ho detto che non mi piace essere ripresa, non sta bene.

– Sono contenta che sei venuta alla riunione...

Liliana sorrise e mi fissò come io fissavo le bestie cinque minuti prima. – Ho portato le riviste che ti avevo promesso, e anche questa.

Mi porse una pila di giornaletti con in cima una busta da lettere gialla. La presi con due dita, nessuno della mia famiglia ne aveva mai ricevuta una.

– C'è la foto che hai visto quando sei venuta a casa mia, hai detto che ti piaceva.

– Ho detto solo che mi somiglia.

– Un regalo da un'amica si può accettare? Sta bene o non sta bene?

Non ebbi il tempo di rispondere che vidi la sagoma scura di mia madre arrivare dal fondo del vialetto. Camminava con la testa chinata sul busto, come se qualcuno la tirasse per le briglie e lei provasse dolore a ogni passo. Tutto per lei è dolore: la luce della mattina che entra dalle persiane socchiuse, il corpo di mio padre che russa sdraiato accanto a lei, la mia magrezza informe, il lavoro nel campo, la siccità, il bambino che mia sorella non ha mai avuto, la cruna dell'ago che si fa sempre piú piccola a mano a mano che lei invecchia, la pigrizia di Cosimino, il silenzio, la confusione, sua madre buonanima che le aveva ben detto di non prendersi un giovanotto biondo senza arte né parte, i tempi moderni, i tempi antichi, la vita che va, le chiacchiere della gente, il freddo, il caldo, le comari. Tutti complici della sua disgrazia.

– Oliva, Olí! Che fai in cortile? Con chi parli? Entra in casa che è scuro, non sia mai Iddio ti vede qualcuno!

Io mi cacciai la busta nell'elastico della gonna e feci due passi indietro.

– Buonasera, signora Denaro, – disse Liliana gentilmente.

– Buonanotte, – rispose mia madre senza guardarla in faccia e sparí dietro la porta. Liliana rimase sulla soglia con le riviste in mano, senza dire una parola. Le girai le spalle ed entrai in casa, come gallina di pollaio.

12.

– Nel nome del Padre e del Figlio e dello Spirito Santo. Ammèn.

– Ammèn.

La signora Scibetta ci aveva invitate per la recita del rosario del primo venerdí del mese. Le regole del rosario sono: sgrana la corona, ripeti le preghiere e aspetta che finisca.

Io quella mattina avrei preferito andare a scuola, ma non avevo potuto sottrarmi perché maggio è il mese della Madonna, e poi dovevo scontare la visita di Liliana. La busta con il mio ritratto l'avevo nascosta sotto l'asse mobile del letto, accanto allo specchio, al rossetto e ai disegni delle divinità del cinema.

– ... morí e fu sepolto e il terzo giorno è resuscitato secondo le Scritture...

Aveva detto mia madre quella sera che i comunisti erano dei senzaddio, che Liliana era una cattiva compagnia e che fosse stato per lei mi avrebbe ritirato anche dalla scuola, perché per una femmina non sta bene sapere troppe cose.

– ... rimetti a noi i nostri debiti, come noi li rimettiamo ai nostri debitori...

«Dobbiamo finire in bocca alla gente?», mi aveva chiesto quando eravamo entrate in casa. «Di me devono parlare, mà? Io sono piccinna», avevo risposto. «Marchese o non marchese non fa piú differenza, ormai ti vedono». La vita a Martorana è vita di sguardi, pensai: vedere ed essere visti. E ognuno all'occhio altrui pretende sempre di essere meglio di quello che è.

– ... adesso e nell'ora della nostra morte. Ammèn.
– Ammèn.

Nora e Mena, le figlie della Scibetta, una larga e l'altra sottile, sedevano ai lati della madre, come le ali di una cornacchia. Lei e il marito da piú di un anno ormai cercavano un partito, ma gira gira non si vedeva ancora nessuno. Per la recita del rosario avevano invitato anche la vedova Randazzo, che aveva avuto un solo figlio prima di perdere il marito di sifilide, una malattia peccaminosa, cosí diceva mia madre, anche se lei sosteneva che era finito di debolezza polmonare. Il figlio della Randazzo si chiamava Egidio, era corto e pelato, ma la Scibetta ci aveva messo ugualmente gli occhi per una delle figlie, magari la secca, cosí diceva mia madre. Erano accomodate, la Scibetta con le figlie, sul divano marrone e sembravano le pie donne al cospetto della croce. Sull'altro lato della stanza stavamo io, mia madre e Miluzza, una mia compagna delle elementari che era rimasta orfana da piccinna ed era stata presa in casa dalla Scibetta, che la teneva come dama di compagnia. La verità era che faceva compagnia alle pentole in cucina e alle scope nello sgabuzzino, la Scibetta l'aveva messa a fare la sguattera e tale se la voleva tenere fino a che campava, cosí diceva mia madre. Lei, Miluzza e io sedevamo su panche di legno dure e bitorzolute.

– Come era nel principio, ora e sempre nei secoli dei secoli. Ammèn.
– Ammèn.

La figlia larga della Scibetta ogni tanto sospirava e si asciugava una goccia di sudore che dalla fronte le scendeva sul collo fino ad arrivare in mezzo ai seni, grossi come meloni bianchi. La signora Scibetta, grigia, lunga e con la faccia di topo, guidava il rosario e noi dietro. Il marito se l'era dovuta sposare per forza perché la buonanima di suo padre li aveva scoperti una volta a parlare insieme dietro la stalla. Lui, che all'epoca era un bel giovane, si era rifiutato, in principio. Ma poi il padre della Scibetta, la quale da signorina faceva Buttafuoco, lo aveva convinto con le buone e con le cattive maniere, cosí diceva mia madre. Il matrimonio però era andato bene: il marito ci aveva messo il suo cognome e i Buttafuoco i denari. Ognuno ci aveva trovato la sua convenienza.

– Nel primo mistero doloroso...

La signora Scibetta alzò le mani al cielo e principiò a cantilenare la vicenda di Gesú nel Getsemani, dopodiché partirono un Padre nostro e dieci Ave Maria. Le voci iniziarono ad andare fuori tempo e dopo un poco ognuna si ritrovava in un punto diverso della preghiera. Le due Scibetta figlie ne approfittarono per raccontare gli ultimi pettegolezzi. La vedova Randazzo tra un'Ave Maria e l'altra infilava una domanda alla sorella sottile o alla larga. – E come fu? – Ma chi, la figlia di Cirinnà? – La signora Scibetta faceva finta di non sentire e con i palmi delle mani sigillati l'uno sull'altro borbottava una litania dalle parole incomprensibili. Ognuna si cantava la sua canzone.

– Nel secondo mistero doloroso...

Le voci si fermarono all'unisono e la Scibetta si mise a lamentare della flagellazione di Gesú. Ricominciarono le Ave Maria, e ripartirono le maleforbici.

– Cinque coltellate le rifilò alla commarella del marito, – annunciò la vedova Randazzo allargando le dita a ventaglio. – E perché, era un segreto che il marito di Agatina teneva la doppia famiglia in città? Lo sapevano anche i cani per strada, – commentò Nora con noncuranza. – Si appurò che quello aveva imposto gli stessi nomi a tutti i figli, quelli di qua e quelli di là, per fare le cose piú facili. Quando glielo andarono a riferire, ad Agatina le venne il sangue cattivo, prese la corriera con il coltello nascosto in petto e glielo fece in pieno giorno, a quell'altra, davanti a tutti, – precisò la Randazzo. – Gesú, la carcerarono? – strepitò Mena portandosi le mani sul viso. La Scibetta madre la guardò male e lei abbassò la voce. – E della commarella, che cosa ne è stato?

La vedova biascicò qualche preghiera a mezza voce per far crescere l'interesse nell'attesa. – La commarella si è salvata e Agatina pure, – disse infine.

Miluzza, che era piú distante, la guardava fisso in viso per leggere i movimenti delle labbra. – Delitto d'onore, – concluse la Randazzo. – La legge le ha dato ragione.

Tutte presero a commentare scambiandosi pareri, e mia madre si mise a pregare piú forte per coprire le voci. La signora Scibetta proseguiva senza curarsi di nulla, perché lei i fatti di tutti quanti li conosceva già.

– Nel terzo mistero doloroso...

Quando ricominciammo a sgranare il rosario, la Scibetta larga alzò gli occhi verso di me e diede di gomito alla sorella sottile. – La videro dentro il capanno dei comunisti, – disse a voce alta per farlo arrivare all'orecchio di mia madre. Lei però continuava a recitare le preghiere. – Ma chi, Oliva? – domandò la sottile, scandendo il mio nome. In un momento di silenzio tutti gli occhi furono puntati su di me. Anche quelli di mia madre. Io mi sentii le guance pizzicare e mi venne il sangue tremante. Poi ricominciò il brusio, ma tutte erano concentrate su quello che diceva la sorella larga. Lei, per farsi preziosa, non si lasciò sfuggire nient'altro per un po' e si asciugò una goccia di sudore che le scivolava al lato della narice destra.

– Nel quarto mistero doloroso... – sentenziò la madre con i palmi rivolti al cielo.

– Anche i pidocchi hanno la tosse... – commentò allora la vedova Randazzo e si schiarí la gola per attirare l'attenzione di mia madre.

– Chi va con lo zoppo... – fece la sottile.

– Almeno prima, in quanto a zoppi, se la faceva solamente con il figlio sciancato di Musumeci. Adesso si è messa con i comunisti.

– L'hanno sentita difendere quella svergognata.

– Vuole fare anche lei la politica.

– Ma come? Ha ancora la bocca che sa di latte.

– Aveva, aveva... ora non piú.

Oramai non si curavano piú di parlare a fior di voce e

spiavano la nostra reazione. Solo per quello ci avevano invitate alla recita del rosario.

Mia madre faceva finta di niente, ma le nocche delle sue dita incrociate in preghiera si erano fatte bianche a furia di stringere. Pareva che le ossa dovessero bucare la pelle e poi sbriciolarsi per la pressione.

Miluzza teneva gli occhi a terra e non fiatava, chissà quante ne aveva viste di messinscene come questa. Le Scibetta che sforbiciavano sedute sul divano marrò e le femmine del paese sulla graticola, come i poveri cristiani nel Colosseo davanti ai leoni.

– Nel quinto mistero doloroso: Gesú è crocifisso e muore in croce, – fu costretta a gridare la signora Scibetta per sovrastare le voci delle altre.

Dopo un momento di silenzio ripartirono le Ave Maria. Io slacciai le mani dalla preghiera e le appoggiai sulle ginocchia. Mi ardevano le parole sulla lingua. Non c'entravo niente io con quelli. Non lo sapevo neanche io perché ci ero andata. Avevo sbagliato. Non ci avrei piú avuto a che fare, nemmeno con Liliana. Tutte queste cose avrei voluto dire in faccia a quelle bizzoche, ma avevo la bocca dura, come se mi avessero avvitato i denti di sopra con quelli di sotto.

– Cristo pietà, – esclamò infine la Scibetta madre.
– Cristo pietà, – confermarono in coro le altre.
– Signore pietà, – insisté lei.
– Signore pietà, – replicarono quelle.

Signore e signorine, pietà, mi ripetevo in mente. Non sono una svergognata, non mi mandate via da Martorana come la maestra Rosaria. Che cosa ho fatto di cosí grave? Se avessi dato anche io cinque coltellate come Agatina, mi avrebbero già assolta, sia in tribunale che in questo salotto.

– Santa Maria, prega per noi.
– Santa Madre di Dio, prega per noi.
– Santa Vergine delle vergini, prega per noi.

Anche mia madre invocava la Madonna, come se la invitasse a scendere in Terra subito subito a sistemare la faccenda.

– Madre purissima, prega per noi.
– Madre castissima, prega per noi.
– Madre sempre vergine, prega per noi.

Mi unii al coro: Madre mia, ascoltami! Io sono come voi, sono Oliva, la piccinna che corre con gli zoccoletti di legno per tutto il paese. Che ne so io di cose di femmine e di maschi. Chi deve lavorare e chi no. Chi deve portare i soldi a casa. Chi deve stare dentro e chi può stare fuori.

– Vergine prudentissima, prega per noi.
– Vergine degna di onore, prega per noi.
– Vergine degna di lode, prega per noi.

Sporgevano le labbra in fuori ogni volta che pronunciavano la parola «vergine». Sembrava che lo dicessero a me.

– Vergine potente, prega per noi.
– Vergine clemente, prega per noi.
– Vergine fedele, prega per noi.

Il ritmo della preghiera mi schiaffeggiava. All'improvviso la panca si fece cosí scomoda che non riuscivo piú a stare seduta, e scattai in piedi. La litania cessò per un istante. Tutte mi guardarono, pure la signora Scibetta. Mia madre non lo so, perché le davo le spalle. Me la immaginai con gli occhi stretti e la vena verde di quando è furiosa che batteva sulla tempia. Mi si arricciarono le carni.

– Io non sono una brocca rotta, – gridai. Non riuscii a dire altro, mi mancava l'aria in quella stanza. Mi girai verso mia madre e Miluzza e poi di nuovo verso le Scibetta. Le loro facce sembravano identiche. Tutte le femmine di Martorana si somigliano, pensai: stessi vestiti, stessa pettinatura, stesso modo di camminare, rasente il muro, stessi occhi ridotti a due fessure dallo stare sempre al buio, nel chiuso di una casa.

Camminai lentamente verso la porta, la aprii e il sole mi investí la faccia. Le voci della supplica alle mie spalle ripresero monocordi.

– Regina della famiglia, prega per noi.
– Regina della pace, prega per noi.

Prega per noi, ripetei a voce bassa, mi segnai con la croce, sbattei la porta e mi misi a correre. Fortissimo.

13.

Sentivo intorno a me le voci del paese, mentre i miei zoccoletti battevano sui sassi. I capelli spettinati e la gonna che risaliva sopra le ginocchia, come sempre, ma stavolta non stavo scappando dai ragazzini che mi seguivano con la fionda, fuggivo dalle chiacchiere, dalla vergogna, da mia madre. Il mio corpo non voleva diventare quello di una femmina grande, anche se per gli altri già lo ero. Non ero piú invisibile: potevo essere spiata e giudicata.

Certe parole le avevo sempre sentite a mezza voce come una cantilena a cui non davo ascolto. Ora erano state pronunciate per pungere me. Per tanti anni erano state un sottofondo ai miei giochi di bambina e adesso erano uno sciame di vespe che mi attaccava. Aveva ragione la maestra Rosaria: le parole sono armi. Non solo quelle difficili, anche quelle ordinarie, che ballano in bocca agli ignoranti.

La signora Scibetta assieme alle figlie mi aveva voluto battezzare. Per questo correvo, perché a stare fermi la puntura fa piú male. Quanto deve avere corso la maestra Rosaria, quanto deve essere andata lontano. La immaginavo attraversare la strada di una grande città, con i filobus e le auto che passano a centinaia, i capelli sciolti sulle spalle e la bocca dipinta di rosso, come una divinità del cinema. Nella mia fantasia lei camminava finalmente da sola e nessun maschio si fermava a indicarla o le faceva il fischietto. Chissà se le punture di vespe bruciavano ancora.

Correndo arrivai fino al mare, ma la spiaggia era solitaria ed ebbi timore, cosí ripresi la via del paese e senza nemmeno accorgermene mi ritrovai davanti a casa di Saro. Suo padre, don Vito Musumeci, era stato uno dei piú bei giovani di Martorana, bruno bruno e con gli occhi celesti, le femmine gli morivano dietro, non doveva fare altro che alzare il dito e scegliere, e invece si era preso per moglie Nardina, che di bello aveva solo lui, il marito. Cosí iniziarono a dire che don Vito si era accontentato di una moglie brutta perché era tutto fumo e niente carne, che aveva il difetto e figli non ne sarebbero arrivati. Invece venne Saro, ma fin dal primo momento tutti furono d'accordo che non gli somigliava per niente, cosí diceva mia madre. Saro infatti era rosso di capelli, aveva gli occhi marroni e una voglia sullo zigomo sinistro. Alle mie compagne quella macchia faceva impressione, a me invece sembrava una fragola matura, avrei voluto appoggiarci le labbra per conoscerne il sapore.

Mi venne incontro zoppicando dalla falegnameria di suo padre. – Che fu? – mi chiese.

– Niente, che deve essere?

– Con questa faccia, qualcosa deve essere.

Mi asciugai il sudore dalla fronte e sedetti sulla nostra panca. Ci eravamo cresciuti, nel cortile di casa sua: con i trucioli di legno giocavamo a cambiarci il colore dei capelli, lui sceglieva quelli di noce, se li spargeva sul capo e cosí diventava bruno come don Vito, io quelli di abete per essere bionda, come mia sorella. Poi correvamo a scattafiato, ci gettavamo sull'aia con le braccia e le gambe larghe, le agitavamo facendo finta di volare, e rimanevamo a guardare le nuvole. Saro allungava un dito a indicare un pezzo di cielo: «Vedi, vedi? Pecora è!» «Non pecora, – rispondevo, – cane». «Ma quale cane?» La nuvola intanto veniva trasformata dal vento. «È cervo! Guardaci le corna...» Un soffio di vento e il bianco si allungava in una striscia. «No, no: serpente», si correggeva Saro. «Né pecora, né cervo, né serpente», stabilivo. «E cosa?» chiedeva. «Marfoglio!» dicevo seria. «Che cosa?» «Un marfoglio», ripetevo convinta. «Non vale, non esiste!» ma non era sicuro, dato che alla scuola ci era andato solo fino alla quinta elementare. «Non lo vedi che ha due corni?» domandava per prendermi in castagna. «Infatti: è un marfoglio bicornuto». «Ah, sí? E che forma avrebbe questo marfoglio bicornuto?» «E che, non lo vedi? Ha la forma di una nuvola!» ridevo.

Si sedette accanto a me, avrei voluto spiegargli delle vespe, del rosario e dei misteri dolorosi, ma mi mancarono le parole. Gli passai una mano sul capo per eliminare i residui di limature di legno e restai muta. Si affacciò Nardina. – Saro, vieni dentro che è pronto!

Mi vide dall'alto e tentò di lisciarsi i capelli crespi. – Oliva, tu qua stai? Ho fatto proprio la pasta con l'anciòva che ti piace tanto, che combinazione!

Del rosario dalla Scibetta non dissi niente, anche se lei forse avrebbe potuto capire: quante punture di vespe aveva dovuto sopportare.

14.

Dopo mangiato, con il caldo forte chiusero gli scuri e Nardina e don Vito si misero coricati. Saro avrebbe voluto restare ancora in cortile ma io avevo premura di tornare a casa, cosí me ne andai. Il paese era giallo di sole, ogni cosa bollente. Camminavo attaccata al muro per prendere quel poco di ombra che si allungava sulla strada. Il mondo sembrava svuotato.

Lo vidi in fondo alla via, prima del bivio per la piazza. Si avvicinò alla fontana e ci infilò sotto la testa. L'acqua gli scorreva sulla faccia e gli gocciolava sui capelli ricci e neri. Poi si alzò, con entrambe le mani li lisciò all'indietro e sistemò sull'orecchio destro un rametto di gelsomino. Era tutto vestito di bianco, quando mi notò dalla parte opposta della piazza fece una riverenza. Gli andai incontro a passo svelto, senza guardarlo in faccia, lui si frugò nella tasca, ne tirò fuori un'arancia e iniziò a staccare la buccia dalla polpa. Ficcò le dita tra gli spicchi e divise il frutto a metà mostrandone il rosso.

– Prendi, che è dolce, – disse, allungando il braccio verso di me, come per agguantarmi. Mi voltai ma in strada non c'era nessuno. Solamente io e lui.

Poi avvicinò l'arancia al viso. – Ti rinfresca tutta la bocca, vedi? Cosí.

Affondò denti e lingua in una metà dell'agrume, succhiando fino a che non rimase solo il bianco sotto la buccia. – Questa è la parte tua, – e mi offrí l'altra metà. – Vediamo se ti piace, come da piccinna la ricotta mischiata con lo zucchero.

Accolsi il frutto nella mano: era ancora caldo delle sue dita e umido di succo, l'odore acre mi pungeva le narici, ne fui nauseata e nello stesso momento sentii una fitta nella parte bassa del ventre.

Tenevo le labbra serrate perché non mi potesse leggere in faccia nessun pensiero. Femmina che sorride ha detto sí, recitava mia madre. Lui mi guardava come se avessi qualcosa di bello al centro del viso, invece dei miei soliti occhi piccoli e neri sulla faccia scura e spigolosa, e sentivo paura. Per scacciarla iniziai a compitare a mente la prima declinazione di latino: *rosa, rosae, rosae*. L'avevo ripetuta cosí tante volte ogni sera prima di prendere sonno per dirla correttamente che era diventata una preghiera. *Rosa, rosae, rosae, rosam, rosa, rosa* continuai a cantilenare tra me e me fino a quando lui non ebbe fatto un passo in avanti e fu cosí vicino che avvertii il profumo del gelsomino appoggiato dietro al suo orecchio. – *Rosae, rosarum, rosis*, – gli gridai forte, tanto che sembrò una imprecazione e tesi la mano con l'arancia davanti a me, per tenerlo lontano. Portai il braccio fin dietro la testa e poi tirai forte, come quando da piccinna lanciavo le pietre con la fionda. La mezza sfera arancione si schiantò sulla sua coscia, il rosso della polpa prese a colare sul bianco dei pantaloni. Lui estrasse le mani dalle tasche e allora ebbi paura che volesse colpirmi, invece si sfregò la gamba ridendo. Io indietreggiai di qualche passo e iniziai a correre col sangue spaventato senza piú voltarmi indietro, attraversai la piazza, feci tutto lo stradone seguita dall'eco della sua risata, giunsi all'incrocio con lo sterrato, ma proprio allora inciampai in un sasso, persi l'equilibrio, gli zoccoletti si sfilarono dai piedi e finii con le ginocchia nella polvere.

15.

– Che hai combinato? – strillò mia madre quando arrivai a casa.

– Sono caduta, mi è uscito il sangue.

Lei osservò le mie gambe e guardai anche io: c'erano graffi su tutte e due le ginocchia, ma tagli no. Mi chinai e poggiai una mano sulle caviglie, risalii su per le cosce, seguendo il filo di sangue fino all'elastico delle mutande. Poi tirai via il palmo e vidi che era rosso, come di succo d'arancia. Un succo denso e scuro, ma senza l'odore di agrume. Mi sono fermata a parlare con quell'uomo e mi sono ammalata, pensai tra me. Spiai mia madre per indovinare la gravità del peccato e la durezza della punizione. Lei invece non mi sgridò, mi prese per mano e mi condusse in bagno.

– È arrivato il momento pure per te, hai visto? – Lo disse con una voce diversa, come quella che usava con le comari amiche sue. Finalmente aveva la prova che ero femmina anche io, che io e lei eravamo piú simili di quanto potessimo immaginare, grazie a quel filo di sangue.

– Vieni, ti spiego come devi fare.

È colpa mia, pensai, è per l'arancia, è per quella testa che è uscita da sotto la fontana con i capelli bagnati e lucenti, è per gli occhi che mi scrutavano fino a entrarmi sotto i vestiti, per la voce che mi parlava. È stato lui a farmelo.

– Devi pulirti bene, – spiegò, – piú volte al giorno.

Io restavo immobile davanti al catino che si riempiva d'acqua. – Poi ti abitui, – aggiunse mentre mi porgeva dei panni bianchi piegati in quattro parti. Fece la sua risata roca e mi guardò tirando un po' indietro la testa, come se non mi avesse vista da un sacco di tempo. Aveva il sorriso lieto che le viene dopo le visite ai morti, e del fatto del rosario sembrava essersi dimenticata.

Sfiorai il seno con la mano, la camicetta rimaneva dritta e i bottoni serrati. La gonna cadeva sui fianchi senza incurvarsi. Non è cambiato niente, mi dicevo. Il sangue è arrivato e mi ha lasciata uguale.

Come quando alla vigilia della prima comunione mi avevano accompagnata a fare i buchi alle orecchie. Mia madre e Fortunata mi tenevano per mano e, via via che ci avvicinavamo alla canonica dove ci aspettava Nellina per praticare quell'operazione, mi pareva che la stretta delle loro dita si facesse sempre piú forte. Io in principio ero stata contenta: tutte le mie compagne li avevano già fatti e mostravano con orgoglio i loro spillini d'oro conficcati nella carne, cosí li avevo desiderati anche io, ma, una volta arrivati dinanzi alla porta, mi ero sentita il sangue incerto. «Ho cambiato idea, mà, non voglio», avevo protestato.

«Come sarebbe a dire? Che figura ci facciamo con Nellina?» si era incollerita mia madre.

Avevo piantato i piedi a terra rifiutandomi di avanzare, mi ero voltata verso Fortunata implorando il suo soccorso. Lei si era sfiorata i lobi, da cui pendevano due cerchietti dorati. «Ce li hanno tutte, vuoi che ti prendano per maschio? – aveva sorriso. – Devi essere contenta, – aveva aggiunto, – oggi diventi grande».

Io non sono favorevole a diventare grande, avevo pensato.

Nellina mi aveva ordinato di sedere su una poltrona marrone con i braccioli imbottiti e mi aveva chiesto di reclinare la testa all'indietro. «Non ti muovere per nessun motivo al mondo, – mi aveva avvertito, mentre mia madre mi premeva una mano sulla fronte per tenermi ferma, – non sentirai niente».

Non era vero. Dopo avermi tenuto un cubetto di ghiaccio sopra al lobo per renderlo insensibile, mi aveva sistemato un turacciolo di sughero dietro l'orecchio, affinché lo spillo, una volta trafitta la carne, non penetrasse anche nel collo. Muta e buona, mi ero detta, avevo chiuso gli occhi e avevo sentito l'odore forte del disinfettante che mi aveva fatto girare lo stomaco. Mi ero concentrata su un ricordo bello, per sopportare il dolore, avevo pensato a quando da piccinna avevo avuto una stellina in grammatica e poi, tornando da scuola, mi ero fermata in pasticceria a mangiare la ricotta con lo zucchero. Ma quando la punta dell'ago aveva iniziato a premere sulla carne avevo lanciato un urlo e avevo scosso violentemente il capo per liberarlo dalla stretta di mia madre. Alcune gocce di sangue erano finite sulla camicetta bianca.

«Abbiamo fatto l'inguacchio, – mi aveva rimproverato mia madre. – E adesso?» aveva chiesto a Nellina, tutta vergognosa. «Adesso dobbiamo aspettare che la ferita si rimargini», aveva sentenziato la perpetua osservando il piccolo sfregio sul lobo destro. Mia madre si era scusata, come se le avesse arrecato un'offesa.

«Non era ancora pronta, – aveva concluso Nellina, medicandomi con un batuffolo d'ovatta imbevuto di alcol. – Riportamela piú in là e vedremo se si potrà rimediare».

«Altrimenti?» aveva domandato mia madre sconsolata.

«Altrimenti resterà con un buco piú alto e uno piú basso. E si ricorderà che nella vita non si può fare sempre di testa propria».

Sulla strada di casa la ferita bruciava e il lobo pulsava all'impazzata come se fosse un secondo cuore, ma io camminavo senza lagnarmi. Mia madre invece si era lamentata per tutta la strada: «Ogni cosa è difficile con te. Quello che per le altre è semplice, per te è complicato».

Sarei dovuta diventare grande e invece ero rimasta uguale, come dopo il marchese.

Mia madre continuava a darmi istruzioni su come ripiegare per bene i panni di lino per non macchiarmi la gonna, ma io non la ascoltavo piú. Ripensavo alla mattina della prima comunione, quando ero rimasta la sola bambina senza orecchini. Mi toccai la cicatrice sul lobo destro dove era rimasta una minuscola pallina dura. Da Nellina per completare l'operazione non ero piú tornata. Ero rimasta una femmina imperfetta.

Presi i panni dalle sue mani e mi sfilai la gonna. Lei sfregò le macchie sulla stoffa con il sale, che tutto scioglie, poi mi fissò. – Ti stai facendo bella, – osservò, come se tra tutte le cose possibili questa proprio non l'avesse mai presa in considerazione.

All'improvviso smisi di sentirmi difettosa: se per mia madre ero bella, lo diventavo veramente. Se mia madre mi vedeva, mi vedeva il mondo. Avevo attraversato la soglia dell'invisibilità. Ero una donna, come lei.

Mentre risciacquava il tessuto, approfittai di quella nuova confidenza tra di noi e le chiesi a bruciapelo: – Come fu la prima volta che vedesti papà?

Lei non si meravigliò, socchiuse gli occhi e sorrise. – Mi faceva credere di essere speciale, – disse, – invece ero solo giovane.

Si fermò come se fosse in cerca di un ricordo ormai troppo lontano.

– Andò tutto troppo in fretta, – disse infine, – tuo padre era venuto in Calabria per l'eredità e se ne tornò con me. Un bell'affare fece! – Poi rise, ma non con la solita tosse. Forse era la sua risata di quando era ragazza.

– Tu gli volevi bene?

Passò ancora la gonna sotto l'acqua corrente e la osservò in controluce.

– Bene, non bene... è passato. Ora ti devi stare accorta, – disse, di nuovo sbrigativa, guardandomi di traverso.

– Accorta a che?

– A non fare altre cadute.

La seguii nell'aia senza fare domande. Io non sono favorevole alle cadute. Lei spiegò la gonna con le mani, stendendola bene negli angoli. Mi dava le spalle mentre la fissava con le mollette, come Liliana con le fotografie, e intanto mi elencava le regole del marchese, anche se le conoscevo già. Non camminare in strada da sola. Non portare le gonne sopra al ginocchio. Non parlare a tu per tu con gli uomini.

– Nemmeno con Saro?

– E che, Saro non è uomo? È femmina, Saro?

– Ci conosciamo da piccinni.

– E adesso siete cresciuti. Se ha qualche cosa da dirti, Saro, lo viene a dire a tuo padre. E a me.

Non sapevo cosa rispondere, osservavo la gonna nel punto in cui si era sporcata con il timore che fosse rimasto l'alone.

– Il resto sono tutte superstizioni, – continuò. – Dicono che quando ti viene il marchese non devi toccare la carne sennò va a male, non raccogliere i fiori che seccano, non lavare i capelli che tanto la piega non tiene... Sono solo stregonerie. Devi fare come si è sempre fatto: rigare dritto e restare onorata, altrimenti ti ritrovi come tua sorella, che se Musciacco se l'è sposata è solo per merito mio.

Pensai alla faccia di Fortunata l'ultima volta che ero andata a trovarla. Sotto il palazzo mi aveva fatto restare, aveva detto che stava lavando i pavimenti. I capelli da biondi che erano sembravano grigi, il viso coperto di graffi che si vedevano da due piani piú in basso. Questo anche era stato merito di mia madre?

– Correre posso? – chiesi per scrupolo.

– Le compagne tue corrono per strada? No. E allora non corri nemmeno tu.

– Liliana...

– La figlia del comunista non conta, tiene grilli per la testa.

Mia madre si alzò sulle punte, osservando con pignoleria la gonna appesa ad asciugare. – È tornata senza macchia, – stabilí dandomi le spalle. – Adesso vedi di mantenerti pulita.

16.

Da quando sono diventata femmina, sto come sotto una tettoia durante un temporale: non mi allontano per non bagnarmi. A casa di Saro non ci posso andare. Al mercato non ci posso andare. Da Liliana non ci posso andare.

Ogni tanto di nascosto tiro fuori dall'asse mobile la fotografia che mi fece e mi rivedo con i capelli incrostati dal sudore e le ginocchia sporche di terreno, sembra provenire da un'altra vita. Cosimino mi segue fino a scuola ogni mattina e viene a prendermi all'uscita. Tra poco, con l'arrivo delle vacanze estive, resterò tutto il giorno in casa a ricamare i corredi delle altre e ad aspettare che qualcuno mi chieda.

Prima del suono della campanella Liliana mi domanda: – Oggi pomeriggio ci vieni alla riunione nel capanno? – ma lo sa già che non ci andrò nemmeno questa volta. Usciamo dall'aula e ci separiamo. Lei prende la sua strada da sola e io vado incontro a Cosimino. Ci incamminiamo verso lo stradone principale, all'altezza della farmacia inspiro a fondo e appena voltiamo l'angolo trattengo il fiato, abbasso gli occhi e comincio a contare i basoli. Mi convinco che, se riuscirò a tenere il respiro fino al prossimo incrocio, Cosimino non si accorgerà di niente. Finora è andata bene. Duecentoquarantadue, duecentoquarantatre, duecentoquarantaquattro, duecentoquarantacinque.

Lui è fermo lí, all'angolo con la merceria di don Ciccio, come ogni giorno da quando gli macchiai i pantaloni con l'arancia, sole o pioggia, vento o canicola, e mi fissa fino a che non giro l'angolo e imbocco lo sterrato verso casa. La mia gonna è tornata pulita, ma quando lui mi guarda mi sembra di avere ancora la macchia.

Per duecentoquarantacinque passi conto in mente e faccio i piedi leggeri e cerco di diventare invisibile, ma i suoi occhi mi fanno riapparire. Come le foto di Liliana che si rivelano sulla carta patinata, il mio corpo prende forma quando lo guarda lui. Per duecentoquarantacinque passi, cosce, braccia, bocca, capelli, fianchi diventano vivi di vita loro sotto i vestiti. Mi incurvo in avanti per nascondermi, come a chiudermi in un nodo. Tutta la vita è un nodo.

17.

– Fischia, che ti passa, – dice mia madre a mezza voce. Io smetto di mungere la capra e aspetto che quel suono proveniente dalla strada si allontani e poi si spenga, fino a quando nel recinto si sente solo il respiro mio e dell'animale. Allora riprendo a tirare, ma le mani mi tremano ancora, cosí stringo troppo forte e Bianchina bela per il dolore. I passi di mio padre si avvicinano. – Gentilezza ci vuole, Oliva, questo piace alle ragazze, – e le passa una mano sul dorso.

Si avvia verso casa. La sua voce è bassa come fruscio di paglia. Ha parlato per la capra o per me? Quando apre la bocca mia madre, almeno, pane al pane e vino al vino. Ha la lingua di fuoco ma il segno brucia e poi guarisce. Infilo le mani nel secchio e le ritiro bianche di latte. Cosí vorrei essere anche io.

Lei è seduta al sole, china sopra la stoffa. Mi sta cucendo il vestito per la festa del Santo patrono. Fino allo scorso anno, il parroco mi metteva sul palco insieme alle piccinne, e mi faceva cantare come voce sola. Mia madre mi applicava sulle spalle un paio di alucce da arcangelo e tutte le comari le facevano gli apprezzamenti. Quest'anno non canterò con le altre ma avrò il vestito bianco della prima uscita e tutti sapranno che non sono piú piccinna.

– Ti piace il concertino? – dice mia madre senza staccare le mani dalla stoffa. – Tu gli hai fatto intendere qualcosa a questo signore, e adesso ce lo troviamo in strada a fare la fischiata.

– Mica fischia per me…

– Salvo, hai sentito, il giovanotto con i ricci là fuori fischia per me! – e ride con stizza.

Mi siedo accanto a lei e infilo l'ago per aiutarla.

– Mai ci ho scambiato parola.

– E che vuoi scambiare? Basta uno sguardo, basta un sorriso, femmina che sorride ha detto sí.

Mi si arricciano le carni, lei non alza gli occhi dal cucito. Non l'ho mai vista senza un lavoro in mano. Ago e filo, mazza e straccio, mestolo e tegame. Muove le mani senza tregua e scaglia dalla bocca verità e veleno.

– Olí, ma tu l'hai capito chi è Pino Paternò? – dice, e nel pronunciare il suo nome si punge un dito. Una stilla di sangue si gonfia come una minuscola bolla sulla punta dell'indice e rimane in equilibrio.

– No! – grido, per il vestito e per il nome. L'abito della prima uscita deve essere candido. Bianco come il giglio il vestito, bianca come il giglio la figliola, cosí lei mi ha insegnato. Mi porto la sua mano al viso, faccio aderire le labbra al dito e succhio via la goccia, appena in tempo perché non scivoli sulla stoffa e la rovini. La ferita è scomparsa e il rosso pure, l'amaro del suo sangue è sparito nella mia bocca. Lei ritira il palmo e se lo sfrega sul ruvido del grembiule. – È un mese buono che viene tutti i santi giorni a fischiare sotto casa, – mi rimprovera, ma la voce è raddolcita. Magari è lusingata del fatto che qualcuno possa avere interesse per me. – Non si è ancora presentato a fare la richiesta: vuol dire che non è persona seria. Se aveva intenzioni veniva qua a parlamentare. La cagna si chiama con il fischio, non la femmina!

Pensavo che una volta finita la scuola non l'avrei piú

rivisto e sarei tornata invisibile come ero sempre stata, invece qualche giorno dopo iniziò il fischio. In principio nessuno se ne accorse ma io subito capii che era lui. Fu il corpo a capire: labbra, fianchi, cosce, ossa, collo a sentire quel fischio diventavano vivi, come sotto il suo sguardo. Non ebbi bisogno nemmeno di accostarmi alla finestra per vedere in controluce i suoi capelli neri, ricci e brillanti, le labbra strette a cuore mentre buttavano fuori l'aria. Restavo col fiato sospeso dietro le imposte chiuse chiedendomi se poteva distinguere la mia sagoma.

– Il padre di Paternò ha roba e noi niente abbiamo, – dice a voce piú alta, in modo che senta anche mio padre, chino a raccogliere la verdura in fondo all'aia. – E lui da quando è tornato a Martorana proprio di te si è andato a incapricciare. Si diverte a fare il signornò con la famiglia, che lui di bellezze ne può avere quante ne vuole...

Mi tappo le orecchie con le mani per non sentire. È colpa mia, mi chiedo tra me, se Dio mi ha fatto brutta? Quando le libero, il fischio sembra ancora piú forte e la mia vergogna risuona per tutta la strada.

– E tu, tu non dici niente? – sibila lei tra i denti rivolta a mio padre. – E niente fai?

Lui spolvera il terriccio dai pantaloni e sistema le erbe in un cesto. – E che gli devo dire? Il signore è allegro e ci piace fischiare. Buon per lui.

– E la gente? Ci dobbiamo far parlare dietro dalla gente, non sia mai Iddio!

Mio padre inizia a fischiare anche lui ed entra in casa. Mia madre grida in calabrese e si accascia di nuovo sulla sedia. – Niente, non se ne può cavare niente. Salvo Denaro, sangue di cimice hai nelle vene –. Sbircia attraverso le imposte socchiuse per l'afa. – Aveva ragione la buonanima di mamma mia. Quest'uomo non tiene la testa a fare bene.

Dalla cucina arriva ancora il fischio di mio padre, che si confonde con quello che viene dalla strada. – Ora vado io a parlarci, – sbraita Cosimino, afferrando la giacca.
– Quietati, figlio mio. Non è cosa per te. In questa casa le sciabole restano appese e i foderi vanno a combattere.

Mia madre abbandona la stoffa nel cesto del cucito e poi, rivolta a mio padre: – Non ti curi nemmeno del figlio tuo? – dice. – Niente vedi e niente senti?
Mio padre non smette di fischiare, fino a che a un certo punto l'altro tace e dalla strada giungono solo rumori di passi.
Poi, quando anche lui smette, c'è di nuovo silenzio. Io non lo so, se sono ancora favorevole al silenzio.

18.

La piazza è addobbata con le luminarie e gremita di bancarelle. Chi vende semenze, chi ceci abbrustoliti, chi pupi di zucchero, chi carrube. Sul palco sono salite le bambine con le alucce sulle spalle, al posto mio quest'anno ci sta una che non mi somiglia: ha i capelli biondi e la pelle chiarissima. Quando inizia a cantare, da sola in mezzo al coro, a me sembra di non avere piú la voce.

Avanzo nella piazza con il vestito bianco e le scarpe nuove che mi ha comprato mia madre facendosi fare un prestito dalla Scibetta. Sono chiuse davanti e hanno anche un poco di tacco. Io sono sempre andata in giro con gli zoccoli e queste mi stringono da ogni lato. Lei e Cosimino camminano di fianco a me, mio padre un passo indietro, con le mani nelle tasche e il cappello in testa. Allungo lo sguardo in direzione dei venditori di stigghiole e di arancine per cercare mia sorella Fortunata. Da piccinne giravamo insieme per i carretti e ci incantavamo a guardare l'inghiottitore di spade che si contorceva come se fosse trafitto e poi estraeva il ferro lindo, senza nemmeno una goccia di sangue. Da quando si è maritata però lei non è scesa piú in piazza per festeggiare il santo. Ma, d'altra parte, che ha da festeggiare?

La Scibetta e le figlie si sono messe i vestiti nuovi che abbiamo confezionato io e mia madre. Si sono bardate con tutti i gioielli che avevano e, viste da lontano, sembrano tre sante martiri pronte per la processione. Fortunata non si vede ma dalla via principale arriva il marito. Gerò Musciacco si presenta con un vestito elegantissimo e il baffetto lisciato come le divinità sui manifesti del cinematografo. Arriva con una femmina sottobraccio, con un abito scollato e corto fino a sopra le ginocchia. Appena ci vede, abbassa lievemente il capo in segno di saluto, poi volta la testa dalla parte opposta, le passa il braccio attorno ai fianchi e la bacia davanti a tutti. Mia madre mormora qualche cosa in calabrese ma atteggia la bocca al sorriso, perché la gente non deve parlare. Mio padre e Cosimino sono andati dietro all'arriffatore per seguire l'estrazione dei numeri. Hanno comprato due cartelle e sperano di vincere il primo premio, che è un pranzo completo di primo, secondo, contorno, dolce e vino. Il banditore alza il braccio e lo infila nel sacchetto dei numeri. Ogni volta che ne tira fuori uno, la piccola folla attorno grida di contentezza o di delusione.

Piú avanziamo, piú mi sembra che tutti mi osservino: vorrei tornare a casa e rimettermi gli zoccoli, che ho lasciato davanti al letto. Per fortuna mi viene incontro Liliana con un vestito a fiori stretto sui fianchi, come quelli che indossano le cantanti della televisione, e i capelli cotonati. – Vieni a ballare, Oliva! – e mi afferra per un braccio.

– Mia figlia non balla, – risponde secca mia madre.

– È una cosa innocente, tra amiche…

– Mia figlia amiche non ne ha, – dice lei tra i denti.

Proprio in quel momento le due Scibetta si prendono per mano e si avviano verso il centro della piazza, davanti al palco. Muovono i piedi senza seguire il ritmo della musica, la Scibetta madre le guarda contenta e batte le mani, poi ci osserva e spinge le braccia in avanti, come per dire: «forza, andate». Se la piazza rimane vuota, le sue figlie da sole fanno la figura delle pagliacce, e, se non ballano, nessuno le nota e rimangono zitelle un altro anno, cosí alla fine saranno inutilizzabili per il matrimonio.

Mia madre mi dà un colpetto sulla spalla. – Femmina e femmina, via, potete andare!

Le regole del ballo sono: stai lontana dai maschi, non cantare a squarciagola, non agitare i fianchi come un'indemoniata.

Liliana certamente non le conosce, dal momento che fa tutto il contrario di quello che mi ha insegnato mia madre. È capace di muovere i polsi proprio come Mina, fa schioccare le dita stendendo le braccia davanti a sé e intanto urla: «Nessuno, ti giuro, nessuno». Io sposto il peso su un piede e poi sull'altro come un'equilibrista, a causa delle scarpe nuove. Liliana scuote la testa, inarca la schiena e fa ondeggiare il bacino, è cosí bella che mi viene una languidezza di stomaco. «Nemmeno il destino ci può separare», ripetono anche le Scibetta sottovoce, ma senza ancheggiare. «Tutto il mio mondo comincia da te, finisce con te», urla Liliana mentre alcuni ragazzi ci si parano davanti. Giro la testa verso mia madre, per fortuna lei è distratta a chiacchierare con Nardina. Don Vito è davanti al bar della piazza in mezzo a un gruppetto di maschi, a commentare i vestiti delle femmine senza farsi sentire dai mariti. Lo vedo ridere, ha una bella bocca e gli occhi del colore del mare, ma una specie di dispiacere nelle guance. Penso che lui quella sceneggiata la deve fare per forza, per non dare soddisfazione alle maleforbici che alle spalle lo chiamano «mezzo uomo». Anche loro soffrono come noi: l'onore dei maschi sta nelle femmine che si sono presi, l'onore delle femmine sta nella loro stessa carne. Ognuno difende come può quello che possiede. Come alla festa del Santo patrono: nella processione ciascuno ha il suo posto.

Noi ragazze balliamo al centro della piazza, mentre i giovanotti intorno fumano e fanno apprezzamenti. Le due Scibetta avvicinano le teste ingioiellate e sporgono le labbra in fuori per sussurrare: «Perché questo amore si illuminerà d'eternità» e pestano i piedi a terra fuori tempo cercando di attirare gli sguardi dei ragazzi, ma sono tutti per Liliana, che rovescia la testa all'indietro e socchiude gli occhi.

Anche Cosimino si avvicina, è appena tornato dalla riffa assieme a mio padre, che stringe in mano un cappello nuovo, il premio di consolazione. Avanza verso di noi e accenna qualche passo di danza mentre la Scibetta sottile se lo mangia con gli occhi. Accanto al venditore di polpo bollito e frutti di mare c'è un ragazzo con i pantaloni lunghi e i capelli rossicci lisciati all'indietro con la brillantina. È distante dagli altri e non ha la sigaretta tra le dita. All'inizio mi sembra un forestiero, poi quando si gira mi accorgo che è Saro. Solo fino a pochi mesi fa potevamo restare a parlare fuori dalla bottega di suo padre, lui con i trucioli nei capelli spettinati e io seduta sull'erba a gambe incrociate. È diventato grande anche lui, adesso fa parte dei maschi, cosí, quando i nostri occhi si incontrano, ci imbarazziamo tutti e due.

Liliana mi prende le mani e me le solleva in alto. Io le spingo giú: non sta bene per una femmina alzare le braccia sopra la linea delle spalle, dice mia madre. La musica cambia e parte una canzone lenta in napoletano, parla di un innamorato che di notte va sotto la finestra di una femmina sposata. La donna si accosta alle imposte ma non si affaccia. Il marito dorme e non si accorge di niente. L'innamorato resta a piangere in strada, la donna torna a letto senza poter prendere sonno. All'improvviso riconosco la musica e mi incrocio le braccia sul ventre: è la stessa che sento fischiettare tutti i giorni sulla strada davanti a casa mia.

Le Scibetta si abbracciano per ballare il lento, come avranno visto fare in televisione.

– La musica napoletana mi immalinconisce, – dico a Liliana, e la trascino via facendomi largo tra la folla. Nel pigia pigia sento un odore pungente di gelsomini. Poi una mano mi afferra il polso e tira forte. – Non lo concedi questo ballo all'innamorato tuo?

Perdo Liliana tra la gente e tiro via la mano, ma la stretta è salda. – È la canzone nostra, ti ricordi?

– Io non mi ricordo niente e non vi conosco.

Paternò mi passa il braccio sinistro attorno alla vita e mi stringe il palmo con la mano destra. È calda ma non sudata. Avvicina la guancia alla mia e sento il suo odore, acre e penetrante, mischiato a quello dei fiori di gelsomino che porta dietro l'orecchio.

– «Rosa fresca aulentissima...» Tu che sei andata a scuola non la conosci questa poesia?

– Niente so, lasciatemi, non facciamo parlare la gente.

– La gente dice quello che voglio io. Ti ricordi come finisce tra i due innamorati della poesia? Finisce che dagli e dagli si piegano anche i metalli.

La canzone napoletana è terminata e l'orchestra sul palco parte con un pezzo allegro. Io volto la testa per cercare Liliana tra le giovani che ballano a coppie. Paternò mi stringe ancora di piú e iniziamo a vorticare tra la folla. Ho timore di incrociare lo sguardo di mia madre ma allo stesso tempo lo cerco, per poterle chiedere aiuto, per spiegare che non è colpa mia. Lui mi tiene stretta e mi fa girare fino a che i miei piedi quasi non toccano piú a terra. Perdo le scarpe, i capelli raccolti a crocchia si sciolgono e mi ricadono sulle spalle, tutto quello che sento è la sua mano dietro la schiena, il profumo del gelsomino e l'odore della sua pelle. Il calore che parte dal suo corpo entra nel mio, che mi diventa estraneo, con pensieri suoi e una sua volontà. Mi sento una languidezza nella pancia e mi prende una paura sconosciuta.

– Lasciatemi, – dico sottovoce. – Non vi voglio, non vi voglio, non vi voglio, – ripeto sempre piú forte fino a urlare. – Brava, – dice lui, – le ragazze serie non si devono concedere subito. Devono farsi desiderare, – e mi sfiora il mento con due dita.

– La signorina non vuole ballare, avete sentito? – Saro ha appoggiato una mano sulla spalla di Paternò. La sua voce è diversa, anche quella è cambiata da quando abbiamo smesso di correre insieme.

– E perché no, mica è zoppa pure lei?

Saro si avventa contro Paternò, ha il viso cosí congestionato che la voglia di fragola quasi scompare. Inizia a tirargli schiaffi alla cieca senza riuscire a colpirlo, alla fine gli afferra i capelli e strappa con tutta la forza che ha. Quello solleva le braccia e non reagisce. – Io sono galantuomo e non alzo le mani su uno toccato da Dio, un ragazzino che si batte come le femmine.

Le labbra di Saro tremano. – Usuraio sei, non galantuomo, – gli urla contro con la voce lacerata dal pianto. – Tu e tuo padre tenete mezzo paese a strozzo!

Intorno a noi si è formato un capannello di gente e l'orchestra ha smesso di suonare. Qualcuno interviene per allontanare Saro, che mostra ancora i pugni in direzione di Paternò. In mezzo alla gente assiepata vedo mio padre con il cappello nuovo in mano, che lentamente ci viene incontro. Alzo gli occhi verso di lui ma la sua espressione non dice nulla. Come se stesse nei campi a raccogliere erbe.

– Salvo, per carità, – urla mia madre alle mie spalle. Sembra che voglia frenarlo, io so che invece è un incitamento: Salvo, per carità, fa' qualcosa, vorrebbe dirgli. Per una volta mostrati uomo agli occhi del paese. Fatti valere, Salvo, per carità!

Le parole di mia madre gli arrivano come una pietra dietro al collo. Socchiude gli occhi, allunga il braccio e mi prende la mano.

– Il signor padre non me lo vuole concedere l'onore di un ballo con la sua bella figliola? – dice Paternò come se lo sfottesse.

Mio padre apre la bocca, resta un attimo sospeso. – Non lo preferisco, – mormora, e mi conduce via, scalza e con il vestito strappato. Prima di voltare per una stradina laterale, mi giro indietro e vedo Paternò, da solo, al centro della piazza. Sorride.

– Rosa! – mi urla da lontano, in modo che tutti sentano. – Rosa fresca aulentissima…

19.

A casa, mio padre appende il cappello nuovo al gancio nell'ingresso, indossa i vestiti da lavoro e si ritira nel capanno degli attrezzi, ne esce dopo un po' con una mensola di legno e il barattolo della pittura, li sistema su un cavalletto nell'aia. Per qualche secondo chiude gli occhi e si stringe il braccio sinistro come per tamponare una ferita, poi estrae il fazzoletto dalla tasca e se lo passa sulla fronte. Quando riapre gli occhi, affonda il pennello nel liquido rosso e inizia a stendere la pittura prima in un verso e poi nell'altro senza cambiare mai ritmo. Mia madre lo raggiunge in mezzo al campo e borbotta a mezza voce: – Il padre e il figlio se ne vanno alla riffa a sprecare quei quattro soldi che riusciamo a mettere insieme, e la figlia fa la ballerina davanti a tutto il paese.

L'unica risposta è il fruscio leggero delle setole sulla superficie ruvida del legno. – Che intenzioni ha questo signore con nostra figlia, glielo hai chiesto? Hai voluto che andasse a scuola, e va bene, ma adesso bisogna iniziare a pensare a come sistemarla.

– Ci vuole gentilezza, con le ragazze, – ribadisce lui, come aveva detto per la capra.

Resto seduta in un angolo a mangiarmi le unghie mentre loro parlano di me, proprio come se si trattasse di accoppiare la bestia.

– Già te ne ho sistemata una, di figlia. Se Fortunata fa la vita della signora in un appartamento con la servitú, devi dire grazie a me.

Penso agli occhi di mia sorella l'ultima volta che si è affacciata alla finestra, quasi sprofondati nel viso, e vorrei che scomparissero anche i miei, per non vedere piú niente e non essere piú vista.

– Cosimino è ancora ragazzo. Tu ci devi pensare a noi. Che cos'è un uomo perbene? Uno che dà da mangiare alla famiglia e sa badare alle sue donne. Hai visto come la guardava quello, la figlia tua? Se ti pungo con lo spillo che cosa esce? Sangue di cimice, questo sei! Sangue di cimice.

Mio padre mescola la pittura e con la stecca di legno ne saggia la consistenza. Versa un po' di acqua nel barattolo e gira nuovamente. Poi estrae il pennello che gronda pittura, lo porge a mio fratello, con calma torna dentro, si rimette le scarpe e il cappello nuovo e si avvia verso lo sterrato.

– Cosimino, figlio mio, continua tu, mi sono ricordato di un servizio urgente: devo salvare l'onore della famiglia prima di cena.

Mio fratello resta con il pennello in mano mentre davanti ai suoi piedi si forma una chiazza rossa di pittura. Io mi sento il sangue debole e non sono capace di alzarmi. Mia madre osserva le gocce che colano a terra.

– Non ti inquietare, Amalia, – le dice mio padre fermandosi un momento, – pittura è, non sangue, si lava via con l'acqua. Quello, invece, hai voglia a strofinare, non smacchia mai, – e riprende a camminare lasciando sul viale le impronte rosse delle sue scarpe.

Ho paura a restare in casa e ho paura a seguire quei segni cremisi che si stampano sulla strada. Lentamente mi alzo, vado in camera, mi tolgo il vestito: è ancora bianco come quando lo abbiamo ricamato, ma ha un lungo strappo sulla gonna. Ritorno nei panni di casa, infilo gli zoccoli, nascondo l'abito nuovo nella vecchia borsa di cuoio che usavo da piccinna per la scuola ed esco nella terra. Poggiata al muro della casa c'è la vanga, la afferro e scavo un fosso ai piedi dell'ulivo, lo faccio profondo, poi ci getto dentro la borsa col vestito e la lascio scomparire. Ricopro tutto e resto seduta, mentre mio padre si allontana, piccolissimo, nel buio.

Parte seconda

20.

Lo trovarono per strada. Accasciato in un angolo, il cappello era caduto a terra, la camicia era slacciata, lui si teneva il braccio. In paese si disse che stava andando da Paternò per farsi onore, ma armi addosso non ne aveva. Secondo il dottore Provenzano, si era fatto appena in tempo e dovevamo ringraziare la Madonna dei miracoli. Io sono favorevole ai miracoli.

Mia madre, quando lo vide nel letto dell'ospedale, scosse la testa: – Non ce lo fare piú, – lo rimproverò, e gli mise una mano nei capelli. Io non l'avevo mai vista toccargli una parte del corpo e capii che lui stava per morire.

A metà autunno però era ancora a letto. Parlava poco, come al solito, sempre guardava fuori dalla finestra verso il suo campo mentre io e Cosimino ci occupavamo delle galline, della capra e delle verdure. Andavo per lumache, mio fratello per rane. Quando tornava, ci mettevamo in tre attorno al secchio, mia madre, Cosimino e io, con i coltelli in mano. Accostavamo le sedie in camera di mio padre per fargli compagnia. Cosimino iniziava col tagliare la testa, che era la cosa piú pietosa, perciò lo aveva fatto sempre mio padre, prima di avere l'infarto. Colava molto sangue, che cadeva nel secchio. Allora la passava a me, e io tagliavo la punta delle zampe, alla meschina, e la consegnavo a mia madre, che cavava le interiora. Questo lavoro era faticoso ma valeva la pena, perché al mercato le rane già sistemate ce le pagavano di piú. Cosimino per tirarci fuori una risata incominciava con la storiella del processo, che aveva sentito raccontare fuori dal bar. Noi eravamo gli imputati davanti al giudice e ognuno si prendeva la sua pena. A me un anno, che avevo solamente troncato le zampe. A mia madre quindici anni, perché aveva inferto lesioni gravi. E a lui l'ergastolo, poiché dava il colpo mortale alle povere bestie. Il giudice però ci assolveva tutti per legittima difesa perché, se non ammazzavamo noi le rane, la fame ci ammazzava a noi. Si finiva a ridere, mentre nel secchio si ammucchiavano le zampe tagliate e le viscere rosse. Cosimino spiava mio padre con la coda dell'occhio per capire se lo faceva divertire, ma lui aveva la testa in un altro luogo, un po' fissava le frattaglie delle bestie, un po' allontanava lo sguardo, oltre i vetri, fino al punto in cui avevo seppellito il mio vestito, cosí mi sembrava.

Al mercato ci andava mio fratello, e quando tornava a casa i soldi li lasciava in un canestro di vimini sul comodino di mio padre, perché era lui il capofamiglia.

Una volta alla settimana veniva il dottore Provenzano e lo trovava bene, gli dava uno sciroppo. Io sono favorevole agli sciroppi: quando ero piccola mi venne l'irritazione ai bronchi e me ne somministrarono uno che sapeva di ciliegia. Finí che durante la notte scovai la bottiglia e me lo bevvi tutto. A forza di vomito me lo fecero rigettare, per il mal di pancia che ne ebbi.

Un giorno il dottore disse che mio padre era guarito e se ancora non si alzava era per un difetto di volontà. – E che significa? – chiese mia madre sospettosa. – Dopo un infarto può succedere, una specie di stanchezza di spirito, bisogna pazientare, – rispose. – La volontà non ce l'ha mai avuta, – disse mia madre. – Quanto ci vuole a farlo tornare come prima?

Provenzano si sfilò le lenti e sfregò gli occhi con le nocche come se volesse cancellarli. – Bisogna pazientare, – ripeté, poi non venne piú.

21.

Le prime settimane c'era stata la fila fuori dalla porta: uno usciva e l'altro entrava. Don Ignazio, Nellina, i contadini delle terre intorno e poi qualche curioso che voleva sapere come era andato il fatto. Debolezza di cuore, diceva mia madre, quelli annuivano pietosi ma si voltavano a guardare me. Con permesso mi ritiravo in camera, aprivo i libri di scuola e immaginavo di preparare l'interrogazione di latino per il giorno dopo, anche se ormai per me la scuola era finita: dopo l'incidente di mio padre mi avevano ritirata.

«Una ragazza perbene non ha bisogno di nessun diploma», aveva detto mia madre mettendo via il grembiule nero.

Fa niente, avevo pensato, tanto ormai mi andava troppo stretto.

Honesta puella laetitia familiae est, leggevo dal manuale del primo anno, e sfogliavo il vocabolario per ignorare le chiacchiere in cucina. «La fanciulla onesta è la gioia della famiglia», scrivevo in bella grafia sul mio quaderno. Avevano ragione loro, la debolezza nel cuore di mio padre ce l'avevo infilata io.

Delle Scibetta venne soltanto Mena, la figlia sottile. Disse che sua madre si scusava tanto, ma lei e la sorella erano state vittime di un cattivo raffreddore e adesso che si erano alzate non volevano prendere la ricaduta. La Scibetta sottile, da sola, era meno secca di come sembrava vicino alle altre due. Era poco piú grande di me, ma il timore di sua madre che rimanesse senza marito l'aveva già trasformata in zitella. Vale per tutte, finiamo per diventare come le nostre madri ci vedono.

– Cosimino non c'è? – chiese sistemandosi una forcina nei capelli. – È al mercato, tranquilla, – risposi immaginando la sua timidezza. – Siediti, Mena, – aggiunsi, e mi sistemai il grembiule sui fianchi, – gradisci un poco di caffè o acqua e menta?

– Ti ringrazio, Oliva, ma non ti devi disturbare, – rispose con una complicità che prima non mi aveva manifestato. – Vieniti a sedere qua, vicino a me.

Le volte che ero andata da loro per il rosario mai mi avevano invitata sul divano, come se fossimo state cose separate. Io, mia madre e Miluzza da un lato, e loro tre dall'altro. Mi sistemai accanto a lei. Mena mi prese la mano e se la mise in grembo. – Allora, come fu? – Le mie dita sfioravano la stoffa della sua gonna, impreziosita dal ricamo che io stessa avevo contribuito a eseguire giusto un anno prima. Su quel lavoro avevo faticato tanto e adesso non mi apparteneva piú, mi dava imbarazzo toccarlo.

– Fu infarto, – risposi io. – Lo trovò Cosimino lungo lo stradone...

– A me puoi dirlo, Oliva – mi interruppe lei, – che ti potrei essere sorella e ci sta confidenza.

Pensai che nemmeno con Fortunata, che sorella mi era davvero, ci eravamo mai tenute mano e mano. – Non so, Mena. Che vuoi che ti dica.

Mena si fece rossa nel viso, che sembrò ancora piú affilato. Gli occhi le brillavano come se stesse per piangere, ma non era addolorata.

– Il bacio, – disse poi in un soffio.

– Che bacio, Mena? – risposi confusa.

– Con me ti puoi svelare, Oliva. Resta solo tra di noi.

Ritirai di scatto la mano, sentii la stoffa scivolarmi sotto le dita, come quando l'avevo ricamata, punto dopo punto.

– Ti sei fidanzata e adesso ti senti superiore. E io che sempre ti diedi amicizia! – Mena iniziò a torcersi le mani, lacrime vere le si stavano formando tra le palpebre sporgenti.

– Niente bacio, niente fidanzamento, – dissi. – Non è persona che conosco. Né io né la mia famiglia.

Mena sembrò delusa, ma anche un po' sollevata. Subito riprese la solita aria di superbia, scostò la sedia e mi guardò con malizia. – Se ne andò dal paese che era un ragazzo ed è tornato uomo fatto. Tutte dicono che è bello. A te non pare?

Sentii un'oppressione in petto, guardai verso mia madre per capire se ci stesse ascoltando e incrociai le braccia sul grembiule. – L'ho visto sí e no due volte, – risposi. – Non ci ho mai pensato.

– Ti invitò a ballare...

– Mi scambiò per un'altra, – tagliai corto.

– Dice mia madre che in questi anni è stato a vivere in città da uno zio che ha un'attività ben avviata perché la vita di paese non gli dava soddisfazione.

– Buon per lui, – borbottai.

Mena mi si accostò di nuovo per bisbigliarmi all'orecchio: – Pare che se ne è dovuto scappare in una notte per una questione di onore, – disse, tutta accalorata. Mi alzai bruscamente, rovesciando la sedia. Anche Mena si mise in piedi e mia madre si affacciò nella stanza per appurare cosa fosse successo. – Niente, donna Amalia, sto andando via, – balbettò Mena e si affrettò verso l'uscita. – Mamma vi aspetta a casa venerdí per il rosario. – Ti ringrazio, Mena, – rispose lei, – ma come vedi non mi posso muovere, con mio marito malato.

Feci un sospiro di sollievo. L'ultima volta ero uscita da casa loro scappando come se mi avessero scoperta a rubare qualcosa. Mi tornò tutto in mente: il sole che batteva, la piazza vuota, il succo rosso dell'arancia che macchiava i pantaloni bianchi e il sangue sulle mie gambe.

Mena lasciò i saluti per mio padre e andò via. Restammo io e mia madre in cucina a preparare la cena, tenendoci a distanza, come due che non vogliono contagiarsi l'una con l'altra.

22.

A messa stamattina ci vado da sola perché mia madre è andata a consegnare le lenzuola ricamate per il matrimonio di Tindara, la nipote di Nellina, la perpetua, che ha un anno piú di me e si sposa bene. Le regole della chiesa sono: alzati quando il prete dice «in piedi», siediti quando dice «seduti» e non staccare l'ostia dal palato con la lingua dopo aver preso la comunione.

Entro in chiesa col velo bianco in testa, mi segno e raggiungo la panca dove sono le altre. C'è anche Tindara, con le scarpe nuove e i capelli accrocchiati sulla testa, a sedici anni già sembra signora. Quando la funzione finisce, facciamo tutte capannello intorno a lei e Crocifissa la sommerge di domande. – E allora, com'è il marito tuo, a quale attore assomiglia?

Tindara si stringe nelle braccia. – Non lo so...

– Non lo sai se è bello o brutto? – insiste Crocifissa.

Lei abbassa la testa vergognosa e non risponde subito. – Io lo sposo non l'ho visto. Ha combinato tutto mia zia, – confessa infine.

Noi ragazze rimaniamo confuse. Credevamo che il matrimonio allo scuro fosse usanza dei tempi antichi. – Io porto in dono la mia purezza, – si giustifica Tindara, – e lui mi darà una posizione, – aggiunge ripetendo a pappagallo le parole che deve averle insegnato la perpetua. – È questo il fondamento di un matrimonio felice.

Noi non sappiamo che cosa rispondere, solo Crocifissa ha la prontezza di dire quello che tutte avevamo sulla lingua. – Non sai neanche come è fatto?

– Certamente, cosa credi? Mi ha mandato il suo ritratto a figura intera, – risponde Tindara con un tremore nella voce. – Ho controllato: niente gli manca.

– E che cos'è? Un colpo di fulmine per corrispondenza? – scherza Crocifissa.

– Ma almeno è sostanzioso? – si informa Rosalina sfregando pollice e indice come se sfogliasse banconote.

– Fa il rappresentante di commercio, – si pavoneggia Tindara. – È un uomo solido, – ci informa, e batte il dorso della mano destra sul palmo della sinistra, come a dimostrarne la robustezza.

– E se poi, – chiedo con timidezza, – quando lo incontri di persona non senti un trasporto, una gioia nel cuore? Tra una settimana dovrai stare nella stessa casa con lui giorno e notte…

Tindara si oscura e mi guarda con gli occhi ridotti a fessure. – Senti chi parla! Mica siamo tutte come te! – Le compagne intorno si zittiscono. – Tu il fidanzato lo scegli per strada, lo fai venire sotto casa a farti la serenata, ti fai baciare in piazza, davanti a tutti, a costo della salute di tuo padre! Il mio futuro marito è persona onorata e per non dare adito a pettegolezzi ha preferito che nemmeno ci incontrassimo, perché vuole che il mio candore risalti in faccia a tutti.

– Ma io non volevo dire…

– Tu invece ti sei messa in bocca alla gente. Ognuno in paese conosce Pino Paternò.

A udire il suo nome sento di nuovo quelle mani strette intorno ai fianchi, l'odore della pelle, e sono ingoiata dalla vergogna.

Le altre ragazze si dispongono a cerchio, come quando i maschi scommettono sui galli in combattimento: le bestie in mezzo all'arena e loro intorno a vederle scornare, solo che al centro del piazzale davanti alla chiesa ci siamo io e Tindara, due galline di pollaio.

– Sbrigugnàta la sorella e sbrigugnàta pure lei, – mormora Tindara tra i denti, e se ne va, seguita da Rosalina e Crocifissa. Resto nella piazza come un bottone spaiato e inizio a correre a scattafiato verso casa, anche se mi è stato proibito, i piedi vanno da soli mentre in testa mi ripeto: *Rosa, rosae, rosae*... Solo questo funziona per contrastare le maleforbici: correre forte e salmodiare in latino.

Quando arrivo, mi affaccio in camera da letto: mio padre non c'è, le lenzuola sono vuote, perfettamente lisce e rimboccate negli angoli. – Pà, – chiamo prima piano e poi ad alta voce, faccio il giro della casa, torno nella sua stanza, mi siedo sul materasso, i pugni sulle ginocchia, vorrei precipitarmi fuori a cercarlo, ma improvvisamente mi sento stanca, come se la mancanza di volontà di mio padre si fosse travasata dentro di me. Mi stendo, poggio la testa sul cuscino, dove per mesi l'ha tenuta lui, e inspiro il suo odore. Poi con grande sforzo mi rialzo e vado fuori nell'aia. Tra il pacciame ai piedi dell'ulivo, un contadino è chino sulle piante, con il cappello calcato sulla fronte, cava acqua dal pozzo per darla ai germogli. Gli corro incontro e gli getto le braccia al collo, mi aggrappo a lui come l'oliva acerba al ramo.

– Ho visto dalla finestra una pianta che aveva bisogno di un sostegno, – mi spiega con naturalezza. – Cosí mi sono alzato.

23.

Le sue mani dopo tanti mesi di inattività sono tornate lisce come quelle di un giovane. Assicura il fusto ancora verde a un paletto che ha fissato nel terreno, strappa alcune erbe cattive che crescevano intorno alla pianta togliendole nutrimento, sfiora le foglioline giovani tra pollice e indice. – Sono stato in casa troppi giorni, – dice mentre si solleva su un ginocchio. – Vieni, andiamo.

– Dove? – chiedo confusa.

– Metti il vestito buono.

Il vestito buono si trova sotto terra, a pochi metri da noi, vicino all'ulivo, avvolto nella vecchia borsa per i quaderni, non ho il coraggio di dirglielo. Lui si avvia verso casa, il sole è alto e non sembra piú autunno, sembra primavera. Dopo una mezz'oretta esce con l'abito della domenica, sbarbato e pettinato, è di nuovo forte e grande come gli dèi greci illustrati sui libri della maestra Rosaria. Solleva la stoffa dei pantaloni sulle ginocchia, si siede accanto alla porta e aspetta. Io corro in camera e tiro fuori dall'armadio la gonna gialla di mia madre che abbiamo rivoltato insieme per adattarla a me, non l'avevo ancora mai messa. Arrivo sulla soglia, lui si alza e mi prende sotto braccio.

Percorriamo lo sterrato fino allo stradone, mio padre cammina a testa alta e saluta ogni persona che incontriamo come se fosse tornato ricco e contento da un lungo viaggio invece che dall'infarto. La piazza è piena di gente: le donne con il capo coperto escono dalla chiesa dopo la seconda messa e si avviano a preparare il pranzo, i mariti si riuniscono in capannelli per bere un bicchiere di vino e giocare a carte ai tavolini del bar. Noi procediamo lentamente, senza parlare. Mio padre dice a tutti «buongiorno», ci arrivano in risposta i saluti, e solo una volta che siamo passati si solleva l'onda del pettegolezzo. Mi aggrappo alla manica della sua giacca e mi impunto, vorrei tornare indietro. – Dove stiamo andando, pà?

– Oggi è domenica, non è vero? E la domenica si comprano le paste, – dice senza cambiare passo. Io abbasso gli occhi, inizio a contare i basoli: magari fossero infiniti, come nella storia che ci raccontava la professoressa Terlizzi di Achille e della tartaruga, ma infiniti non sono. La porta a vetri della pasticceria brilla per il riflesso del sole e mi impedisce di vedere all'interno. Vorrei pregare la Madonna dei miracoli che non ci sia lui dentro, però al posto del rosario comincio a recitare le declinazioni. Prima singolare: *rosa, rosae, rosae, rosam, rosa, rosa*. Se arrivo fino alla quinta senza mai sbagliare, lui non sarà dietro la cassa. Prima plurale: *rosae, rosarum, rosis, rosas, rosae, rosis*. I miei piedi sono due formiche che avanzano lentissimamente, moltiplicando il numero dei passi. Seconda singolare: *lupus, lupi, lupo, lupum*... Mio padre mi sorregge come se portasse il mio peso sulle spalle. Cosí continuo: *lupum, lupe, lupo*. In strada ci osservano sfilare: il padre resuscitato e la figlia svergognata che se ne vanno a spasso la domenica mattina a prendere i dolci da quello che l'ha offesa. Terza singolare: *consul, consulis, consuli, consulem, consul, consule*... La terza è la piú difficile, perciò vale di piú. Se non sbaglio la terza, dietro al bancone ci sarà la commessa, il mio braccio tornerà leggero, i miei passi da formica diventeranno passi da giraffa, come in quel gioco che facevamo da bambini davanti alla bottega del padre di Saro, e ce ne torneremo a casa, lontano dagli occhi di tutti, a festeggiare la guarigione e la domenica. Terza plurale: *consules* e poi? Le lettere mi si confondono nella mente. Ho già dimenticato ogni cosa e tutto quello studio ormai non serve piú a niente. La professoressa Terlizzi mi fissa contrariata dalla cattedra, la maestra Rosaria mi toglie una stellina, mia madre mi mette in punizione.

La porta a vetri si apre e sento la voce di mio padre. – Buona giornata –. Fisso le mattonelle celesti del pavimento e cerco nella memoria il genitivo plurale senza trovarlo. La mente è vuota.

– Buona? – risponde una voce di uomo. – Prima che entravate era buona. Adesso che vi ho visti, è ottima.

La sua risata batte contro il silenzio di mio padre.

– In cosa posso servirvi? – domanda con cortesia.

– Siamo venuti a comprare i dolci per festeggiare il mio risanamento –. Sono cosí vicina a lui che sento le parole vibrargli nel torace prima ancora che si perdano nell'aria.

– In questo caso non vi posso aiutare, – dichiara, lascia cadere la pinza dei dolci e fa due passi verso di noi. Avverto nell'aria il profumo dei gelsomini.

Mio padre si irrigidisce, ma è solo un attimo, poi il suo busto torna rilassato.

– Il dolce per festeggiare non ve lo posso vendere, – aggiunge quello. – Ve lo voglio regalare.

Alzo gli occhi, rivedo la sua faccia e mi torna l'affanno come durante il ballo, anche se stavolta sono ferma. – Una bella cassata, che piace tanto alla signorina, – mi fa l'occhietto come quando da piccinna mi dava da assaggiare l'impasto sulla lama del coltello.

– Grazie, ma non lo preferisco, – risponde mio padre. La sua voce è calma, priva di intenzioni, come quando mamma gli chiede se vuole ancora una porzione di anelletti con le melenzane. Mi stacco dal suo braccio e inizio a torcermi le mani.

– Mi fate offesa se non accettate, – replica quello.

– Mia figlia ha gusti differenti, – dice mio padre. – Non è vero, Oliva? Guarda: che cos'è che vuoi?

Passo in rassegna le paste colorate di creme diverse e in mezzo a loro riconosco le mani che mi tenevano per la vita alla festa del patrono.

– Voi parlate come un uomo moderno, – interviene quello, – uno che non segue le tradizioni. Dite di voler lasciare vostra figlia libera di scegliere, ma le figlie mica lo raccontano ai padri, quello che piace e quello che non piace. Le cose che desiderano magari non le possono raccontare, per il rispetto che si deve ai genitori.

– Tra me e mia figlia segreti non ce ne sono, – insiste mio padre. – Quello che decide lei è ben fatto.

Paternò estrae una torta dalla vetrinetta: grande, lattea come il vestito che ho nascosto sotto la terra e scintillante di frutta candita. Non lo so se la voglio o no. Non lo so se tra me e mio padre ci sono segreti. So le parole piú rare del vocabolario, so ricamare le stoffe piú delicate senza lasciare i buchi, so un po' di latino anche se mi confondo sempre con la terza declinazione, so pelare le rane. Ma di me non conosco altro.

– Caro signore, – conclude quello, spazientito, – ci vogliamo rovinare il giorno di festa? Io sto offrendo un regalo a vostra figlia e per voi, credetemi, è un affare a guadagnare, ma non voglio nemmeno essere ringraziato. C'è gente purtroppo che non conosce la gratitudine. Quindi ascoltate il mio consiglio: prendete il dolce e fatevi una buona domenica.

Paternò avvolge la cassata nella carta celeste con la réclame dorata del negozio. Sfila mezzo metro di spago marrone, afferra le forbici e lo taglia, alzando di tanto in tanto gli occhi per fissarmi, cosí io abbasso i miei. Nel momento in cui recide il nastro, si spezza qualcosa dentro di me. Mio padre tende le mani avanti, non si capisce se per accettare il dono o per rifiutarlo. Forse è solo un gesto di attesa.

– Oliva, figlia mia, questo signore ha deciso che oggi a pranzo ci dobbiamo mangiare la cassata. Ma io ti ho portata appositamente in pasticceria perché voglio che decida tu, a gusto tuo e senza rendere conto a nessuno, – mio padre si gira verso la porta a vetri e la spalanca, in modo che la gente radunata fuori possa sentire. Poi, con la punta delle dita, mi solleva il mento verso l'alto. – Allora, non provare timore, ché a dire la verità non si sbaglia mai. Ti sta bene oppure no?

Guardo le mani di Paternò che stringono ancora le forbici come se me le puntasse contro. Ha la bocca atteggiata a una risata, eppure negli occhi mi sembra furente. Mio padre si tiene il braccio sinistro come la sera del Santo patrono. Nessuno fiata, né dentro né fuori il negozio, le parole mi salgono per la gola, arrivano in bocca, scivolano sulla lingua ma si fermano dietro i denti e tutto quello che riesco a fare è un cenno con la testa.

– Avete visto? – dice mio padre.

Paternò contrae i muscoli della mascella e mi fissa, io sento uno spasmo in fondo alla pancia, come quando mi sta per arrivare il marchese. Un dolore sordo e profondo che si confonde con il piacere.

– Andiamocene, pà, – sussurro, e scappo fuori.

24.

Ci allontaniamo dalla pasticceria con un piccolo involto che pende dal dito indice di mio padre. Dentro ci ha fatto mettere le paste di mandorla, i soldi li ha lasciati sul bancone ma quello non li ha toccati.

Rifacciamo la strada fino a casa. Adesso i commenti arrivano forti, tutti conoscono la tonalità esatta per farsi sentire.

– Paternò gli ha mancato di rispetto e lui ci va a comprare le paste.

– Comprate, ma che dici? Le ha avute regalate, si vede che ci trova la sua convenienza.

– Regalo pezzente, hai visto che pacchetto?

– Non è regalo, è mortificazione!

– Salvo Denaro tiene il sangue di cimice!

– Se avesse baciato mia figlia davanti a tutto il paese, gliele avrei date io a lui, due paste, e belle grosse!

Mio padre non abbassa lo sguardo sotto la tesa del cappello e saluta tutti a voce alta, chiamandoli per nome e per cognome. Qualcuno risponde, molti no. Io non mi guardo piú i piedi. Sollevo il mento e non affretto il passo. Le paste le abbiamo scelte a nostro gusto e pagate con i soldi nostri. Regali da sconosciuti non ne abbiamo accettati.

Mia madre e Cosimino ci aspettano davanti alla porta.
– Noi li cerchiamo per terra e per mare e loro se ne vanno a passeggio come due fidanzatini alla prima uscita, – si la-

menta lei. Mio padre si toglie il cappello e si avvia verso il bagno per lavarsi le mani. Il suo silenzio per mia madre è peggio di uno schiaffo, cosí lei si rivolge a me. – E tu, che ci fai con la mia gonna?

– Me l'avevi regalata! – rispondo immediatamente.

– Ho detto che potevi metterla nelle occasioni speciali. E poi non era ancora pronta.

Solleva l'orlo lasciandomi scoperte le cosce. – C'è il filo dell'imbastitura. Non lo vedi? Che deve dire la gente? Che la figlia della ricamatrice se ne va in giro con i vestiti scuciti? Non sia mai Iddio!

Io mi copro le gambe con le mani e cerco di tirare giú la stoffa. – Ma tanto a voi che importa della gente! – dice, con la solita risata fatta di risentimento. – Padre e figlia fanno il comodo loro, tanto qua ci sono io che vado acconciando tutte le cose. Quando ci fu la faccenda di Fortunata…

– Le ho detto io di mettere un vestito buono, – la interrompe mio padre. Lei è cosí meravigliata di sentirlo parlare che si azzittisce. – Tuo marito è tornato in salute, Amalia, e siamo andati a prenderti le paste per la domenica. Vedova preferivi rimanere?

Mia madre legge il nome sull'incarto, si lascia cadere sulla sedia, agita una mano davanti al volto come un ventaglio e porta l'altra al petto. – Vedova? E chi ti ammazza a te? Sei tu che mi atterri, prima o poi. Per un paio di occhi verdi ho sprecato la vita mia, aveva ragione mia madre. Tu lo sai quanto ci ho messo io che sono forestiera a farmi rispettare in questo paese? Quando per strada passa Amalia Annichiarico, la gente non può aprire bocca. Ti ho sposato una figlia quando era già compromessa, almeno Fortunata è sempre stata giudiziosa e ha dato ascolto a sua madre.

Ci guarda con gli occhi sbarrati, punta le mani sul tavolo per rimettersi in piedi ma vacilla, Cosimino accorre per darle sostegno e lei si accascia premendosi le mani sulle tempie.

– Io non lo so e non lo voglio sapere per quale motivo questo giovanotto si è incapricciato proprio di te, – dice, e mi osserva come se mi fossi rubata qualcosa. – Brutto non è, povero nemmeno. Però non si è presentato da noi per fare il parlamento come Iddio comanda né ha mandato qualcuno. È vissuto in città per diversi anni e là oramai queste cose vanno diversamente. Può darsi che ha intenzioni serie.

Io non riesco a parlare, anche Cosimino diventa pallido. – Paternò dà i soldi a strozzo, – si azzarda a dire. – Saro mi disse che a suo padre lo ha incravattato. Non è persona da bene.

– Sono cose che non ti riguardano, – gli risponde mia madre. – Lo decidiamo io e tuo padre chi si deve prendere tua sorella.

Cosimino si ritira in camera sbattendo la porta, lei non gli aveva mai parlato in questo modo. Mio padre afferra le forbici e taglia il nastro della confezione celeste. – Amalia, – dice con tranquillità, – a te piace la frutta di marzapane?

Mia madre alza gli occhi al cielo e poi guarda verso il pacchetto ancora chiuso. – E che ci cale adesso del marzapane, Salvo? La testa tua è sempre da un'altra parte.

– Mi pare di ricordare che non la gradisci, mi correggi?

Lei siede di fronte a lui, sembra svuotata anche della rabbia. – Sí, Salvo, dici bene, non mi piace la frutta di marzapane.

– Nostra figlia Oliva, invece, non preferisce la cassata. Glielo ha detto bello chiaro al giovanotto della pasticceria. Tutti la sentirono in strada.

Mia madre poggia i gomiti sulla tavola e chiude la faccia tra le mani. Lui si piega in avanti verso di lei, e con l'indice scosta lentamente uno dei lembi dell'incarto per rivelarne il contenuto.

– Cosí ci ho riflettuto e ho deciso di prendere le paste di mandorla. Perché tutti quanti ne abbiamo piacere.

Dai palmi premuti sugli occhi le cade una lacrima. Non fa in tempo a scivolarle sulla guancia, che lui la fa sparire con un gesto del pollice, come se carezzasse una delle sue piante. – Non disperarti, Amalia, lo vedi che con il ragionamento tutto si sistema?

25.

Qualche giorno dopo la passeggiata in pasticceria, mia madre ha tirato fuori dalla cassapanca due pile di lenzuola e asciugamani candidi e si è messa a faticare piú di prima. Di giorno cuce per le signore, la sera resta con ago e filo a ricamare le mie iniziali sulla tela fino a tardi, e la mattina ha gli occhi piccoli per la stanchezza. Ogni tanto afferra il metro e mi misura per il lungo e per il largo. Il corredo per darmi a quello là, mi sta facendo?

Quando aveva preparato il corredo di Fortunata, avevo immaginato che per me non avesse messo da parte nemmeno uno strofinaccio perché già lo sapeva che lei era la figlia da sposare, mentre io sarei rimasta in casa a farle compagnia nella vecchiaia. Chi mi avrebbe chiesta, secca e scura com'ero? Invece aveva predisposto ogni cosa anche per me, e ora si affretta a sistemare tutti i pezzi, a ricamare le stoffe di lino, a stringere le camicie da notte, ad appuntare fettucce di raso, ad accorciare i sottogonna. Quando si avvicina per avvolgermi i fianchi o il petto con la cinta molle del metro, sembra meravigliata. In paese si dice che a Paternò gli ho fatto una magaría, non si capacitano che, tra tante belle figliole, proprio per me si è preso la fissazione. E forse anche mia madre ha timore che l'incantesimo sparisca, come nelle storie antiche, e io ritorni la stessa zucca che ero prima che quello mi trasformasse in femmina. Per questo lavora senza sosta.

Mio padre ha ripreso ad andare al mercato insieme a Cosimino, che era riuscito a farsi una certa clientela mentre lui era ammalato. A volte con loro ci va anche Saro e dopo si ferma a mangiare qui da noi. Alla fine del pranzo, ci stendiamo fuori sull'erba, come facevamo da piccinni, ma subito Cosimino ci raggiunge, perché, anche se è Saro, sempre maschio è. – Oliva, entra, che mamma ti cerca per sparecchiare, – dice mio fratello. Mi sollevo, ho la schiena bagnata per l'umido della terra e la camicetta si è incollata alle scapole, mi incammino verso casa e, arrivata sulla porta, mi volto indietro. Saro mi segue con lo sguardo, poi si sfiora la macchia rossa a forma di fragola che ha sullo zigomo sinistro, abbassa gli occhi e si cerca in tasca una sigaretta. Il suo modo di guardare è diverso da quello di Paternò, da quello di Gerò Musciacco verso tutte le donne che non siano Fortunata, ma ugualmente me lo sento pesare addosso: lui è maschio, io sono femmina, e le nuvole, là sopra, restano ormai senza nome.

Incrocio le braccia sul petto, mi stringo nelle spalle e rientro in casa a pulire la cucina. Ogni tanto dalla finestra aperta mi arrivano le loro risate.

26.

– Il cavallo di pregio non si porta al mercato, – ha detto mia madre, – se qualcuno ti vuole, deve venire in casa a parlare.

Dopodiché mi ha proibito di uscire. Quando mi annoio, tiro giú dallo scaffale i vecchi libri di scuola e ripeto a voce alta un argomento. Ogni tanto viene Liliana con la scusa di farsi accomodare un vestito. Mentre mia madre fa la riparazione, noi ce ne stiamo nella mia camera ma lasciamo aperto, che chiudersi dentro non sta bene. Parliamo del dolce e del salato finché lei ascolta da fuori, poi appena alla radio passa una canzone che conosce e lei alza il volume e comincia a cantare, noi ci diciamo le nostre cose vere. Io chiedo a Liliana se si è fidanzata e lei mi dice di no. Io le dico che sicuramente c'è qualcuno che le piace, lei ride e si copre gli occhi con le mani. Le piace il figlio della camiciaia, confessa. E pure il fratello di una nostra compagna delle elementari che adesso fa il giovane del barista. E perfino il cugino delle Scibetta. – Quello con la faccia piena di brufoli? – chiedo. Io non sono favorevole ai brufoli.

– Ha delle belle spalle, – si giustifica Liliana. Resto confusa, non ho mai pensato alle spalle di un ragazzo. Che cosa c'è di bello nelle spalle? Capisco il sorriso, gli occhi, i capelli, ma le spalle? Dice bene mia madre che Liliana ha grilli per la testa.

– E ti sei baciata? – azzardo sulle ultime note della canzone.

– Quasi, – dice girando gli occhi al cielo.

– Ti toccò...?

Il pezzo che piace a mia madre è finito, lei smette di cantare, io mi sento curiosa come la Scibetta sottile ma non chiedo piú niente. Liliana guarda verso la porta, si slaccia due bottoni della camicetta, le intravedo l'ombelico, socchiuso come una piccola bocca. – Ti ho portato le riviste del cinematografo, – dice. Sfila veloce un pacco legato con il nastro, me lo passa e si riallaccia rapida.

I passi di mia madre si avvicinano, mi alzo di scatto e nascondo i giornali sotto le coperte. – L'orlo è fatto, – si affaccia sulla porta e riconsegna la gonna a Liliana. – Cerca di stare attenta, è la terza volta che me la porti scucita. Quando in famiglia ci sono due entrate di denaro i figli se ne approfittano.

Liliana sospira e si avvia verso l'ingresso. – Grazie, donna Amalia, quanto vi devo?

– Parlo con tua madre, le figliole di soldi non ne devono maneggiare, non sta bene.

Io e Liliana ci sfioriamo le guance e lei va via. La vedo dalla finestra mentre si allontana, sola verso lo stradone. A me invece non resta altro che aspettare la notte, quando tutti dormono, per poter sciogliere il pacco, tirare fuori le riviste illustrate e ricopiare i volti degli attori che mi piacciono, ciascuno nel suo album segreto. Ci ho messo anche la foto che mi scattò Liliana, come se fossi una di loro. L'ho appiccicata nel quaderno con l'etichetta «Brune sfortunate», perché da me l'amore non ha imparato ancora come bussare.

– Tutti parlano male di questa ragazza, – dice mia madre venendosi a sedere sul letto accanto a me, nel posto in cui poco fa era seduta lei. – Ma a me di quello che dice la gente non è mai importato, dànno fiato alla bocca. Mica è colpa sua, se il padre è un comunista e manda la moglie a lavorare. Quella povera creatura è una vittima, si dà certe arie di superiorità, è vero, ma l'animo è buono. Che cosa credi, che non l'ho capito che l'orlo scucito è solo una scusa per venirti a fare visita? Vuol dire che ti è veramente affezionata.

Non l'ho mai sentita parlare cosí. A lei la gente o fa pena o fa paura. Sfiora il copriletto con le dita e per un attimo ho timore che si accorga del piccolo spessore che fanno le riviste sotto la coperta. Invece lei non ci fa caso, è distratta da un altro pensiero.

– L'amica tua, in fondo, è una brava figlia.

Alza un braccio e mi circonda le spalle. All'improvviso riconosco il suo odore, non ricordavo che fosse cosí dolce. Rimaniamo nell'abbraccio per un tempo che sembra non finire mai. Mi ritorna familiare come quando ero piccola e ogni mia gioia e dispiacere venivano filtrati dal suo corpo. Le osservo una mano che tiene posata in grembo, ha la stessa forma della mia. Inserisco la testa nell'incavo tra la sua spalla e la guancia e chiudo gli occhi. Siamo fatte della stessa pasta, penso, e mi torna in mente quando insieme mescolavamo acqua e farina e il composto ci incollava le mani in un'unica sostanza vischiosa.

– Anche tu sei una brava figlia, – sussurra, e io istantaneamente lo divento.

– Cosí ho pensato... – nella sua voce si apre una minuscola crepa, anche il respiro cambia ritmo, i muscoli del collo si contraggono e sono costretta a sfilare la testa dal rifugio che avevo trovato dentro di lei. – Ho pensato che la dobbiamo invitare al matrimonio tuo, che dici, Olí?

27.

Mi ha fidanzata con uno sconosciuto.

– È un bravo giovane. Di bella presenza, anche, – ha detto contenta, come se avessimo vinto il primo premio alla riffa del Santo patrono. Torna dal bagno con la spazzola in mano. Si piazza dietro di me, mi scioglie i capelli e li fa cadere sulle spalle.

– Da dove viene fuori? L'hai trovato tu? – chiedo, e me la immagino come quando al mercato scarta la merce in cerca di quella piú conveniente.

– E certo, se non mi metto in mezzo io... Per fortuna la signora Scibetta ha un'amicizia particolare per me. Si tratta di un discreto partito.

– La Scibetta con due figlie da maritare ha trovato un marito per me? – Lei non risponde e prende a strigliarmi.

– Si chiama Franco. È un bel nome, non è vero? Vive in città, è nobile di nascita.

È arrivato il marchese, mi sorprendo a pensare come quando da bambina lo immaginavo nei panni di un uomo che sarebbe venuto per portarmi via.

– Ma io non l'ho mai visto, – protesto mentre mi balena in mente la faccia di Tindara prima che mi voltasse le spalle indignata.

– Tempo al tempo! La settimana prossima viene a presentarsi in casa per parlare con tuo padre e stabilire ogni particolare.

I chiodi della spazzola mi arano la testa dolcemente, ogni volta che trovano un nodo sento il dolore dello strappo, poi quello si scioglie e ricomincia la carezza. Anche lei è cosí: prima lo strappo e dopo la carezza.

– E se non mi piace? – domando piena di vergogna.

– Piace, non piace, – dice lei tirando ancora. – Poi passa, – dice con voce appena piú alta. – È un bel giovane, mi ha detto la Scibetta... – Per un momento smette di pettinare, come se fosse colta da un dubbio. – Ma un matrimonio buono non dipende da questo. Io, per esempio, lo vedi... – Non finisce la frase, poggia la spazzola sul comodino e mi infila le dita tra i capelli.

– Tu sei esposta, figlia mia, – divide la capigliatura in tre ciocche e prende a intrecciarle. – Hai rifiutato una persona che i no li fa pagare cari, me lo ha confermato pure don Ignazio. Dice che Paternò è uomo di conseguenza, quello che vuole, quello si prende. Bisogna sistemare subito la cosa, per il bene tuo e di tutti quanti.

Io niente ho fatto, vorrei dirle. Non gli ho detto né sí né no. Da un lato del banco dei dolci c'erano i suoi occhi che mi penetravano nella carne, dall'altro la faccia senza espressione di mio padre.

Lei tira con forza come se i capelli fossero funi e a mano a mano la treccia cresce sulle mie spalle. – Dice la Scibetta che suo padre presta i soldi a strozzo, aveva ragione Cosimino. La vedova Randazzo mi ha confermato che lui ha il sangue caldo, se ne è dovuto tornare qua a Martorana per sfuggire alla vendetta di un marito geloso. Non è persona che si può contrariare pubblicamente vivendo poi tranquilli. Tu con un buon matrimonio ti salvi dagli imbrogli.

La treccia è finita. Con due dita me la tiene stretta, con l'altra mano si fruga nella tasca del camice, ne estrae un nastro rosso di velluto e con quello la serra. Me la poggia sulla spalla e mi si para davanti, per osservare il risultato.

– Adesso sei in ordine, – mi sfiora il mento con l'indice e il pollice. – Mantieniti pulita.

Inclino la faccia verso la sua mano per sentirmela tutta sulla pelle, i polpastrelli sono ruvidi, come la sua voce. Poi lei si stacca. – Vieni, aiutami a ricamare i tovaglioli.

– Sí, mamma, – obbedisco senza fare altre domande.

28.

– Chi bella vuole apparire tanti dolori deve soffrire, – dice mia madre, e va in cucina a infilare la teglia con la pasta nel forno. Mi guardo le scarpe, le stesse che indossavo alla festa del patrono: se sono loro a farmi apparire graziosa, vuol dire che senza sono brutta. La bellezza risiede sempre negli occhi di un'altra persona. È questo forse che ce la fa amare.

– Stanno arrivando, – grida eccitata guardando dalla finestra. Mi viene accanto, mi sistema una forcina, mi stira con le mani la camicetta sui fianchi. Sembra una piccinna che gioca con la bambola. – Vai a chiamare gli uomini!

Mio padre è già nel campo, come ogni giorno, accovacciato accanto ai pomodori. Vedendolo cosí, con i pantaloni da lavoro e il fazzoletto al collo, mi illudo che è tutta un'invenzione di mia madre, che questo Franco non verrà, che non mi daranno via e che potrò restare qua, a casa mia, a raffigurare di nascosto le facce delle divinità del cinematografo. – Non ti metti l'abito buono? – provo a domandargli.

– No, non lo preferisco, – dice semplicemente. Gli do la mano per aiutarlo a rialzarsi e gliela stringo due volte, appena appena. I tacchi delle scarpe affondano nella terra, a ogni passo mi pianto nel terreno come uno dei suoi ortaggi. Vorrei restare qui e crescere solo con l'acqua e con il vento. Lasciarmi staccare le foglie gialle una a una, aggrapparmi al sostegno di una canna nodosa per svilupparmi dritta. – Andiamo a conoscere questo signore, – aggiunge senza partecipazione, come se dicesse: versiamoci un bicchiere di acqua e menta.

– Ho paura, pà, – provo a dire.

– Non c'è paura. Se va bene per te, va bene anche per noi.

Io non lo so quello che va bene per me. Fino a quando correvo ancora con le gonne corte insieme a Saro e Cosimino e pregavo la Madonna dei miracoli di non diventare mai femmina, mi pareva di sapere ogni cosa, ma adesso non ci capisco piú niente.

La tavola è apparecchiata per sei persone. Le regole della tavola sono: non parlare a bocca piena, non ripulire il piatto con il pane, non chiedere un'altra porzione, se ci sono gli ospiti. Cosimino ha i capelli lisciati con la brillantina, i pantaloni lunghi e la camicia candida. Osservo la fotografia del matrimonio dei miei genitori esposta sulla credenza e lo riconosco bello come mio padre in gioventú. Provo a spiare se anche io assomiglio a lei e mi dico di no: sempre secca e scura rimango. La bellezza mia è durata poco, il tempo di un ballo alla festa del patrono.

– Viene anche Saro? – chiedo indicando la sedia che avanza.

– Non sia mai Iddio, – risponde mia madre a mezza voce, – è per l'accompagnatore.

L'automobile si ferma nel vialetto, mi affaccio anche io per spiare. Alla guida c'è un uomo di una certa età, i capelli mezzo neri e mezzo grigi. Si avvicina a piedi alla casa per leggere il numero e sincerarsi che è arrivato al posto giusto. Ha il passo nervoso, è piccolo di statura e ha le guance scavate. Mia madre apre la porta e gli fa un cenno di saluto. Lui abbassa il capo senza sorridere, si gira e torna verso l'auto. Adesso se ne va, spero. Invece apre lo sportello del passeggero.

Ne esce un giovane alto con un vestito di buon taglio, la camicia inamidata, ha gli occhiali da sole come una divinità del cinema, somiglia al bell'Antonio. Il vecchio gli sussurra qualcosa all'orecchio, lui gli appoggia la mano sul braccio e insieme percorrono i pochi metri che li separano da casa nostra. Mi sento il sangue furente, come se fossi la protagonista di uno dei giornaletti di Liliana, costretta a sposare un vedovo vecchio e brutto che ha un figlio bellissimo della mia stessa età. Ecco perché la Scibetta lo ha presentato a noi. Il cuore mi batte nella gola, mi asciugo i palmi delle mani sulla gonna gialla.

Il vecchio si ferma sulla soglia e il bell'Antonio resta un passo indietro. Ha la pelle chiara e una fossetta sul mento. Cerco di immaginare se dietro le lenti scure i suoi occhi guardino me. Tiro la pancia in dentro, ma poi mi ricordo di Fortunata, quando era impettita, butto fuori l'aria e mi osservo la punta delle scarpe.

– Tanto piacere, – dice mia madre, – accomodatevi –. Fa un gesto con la mano come se spazzasse l'aria e li invita a entrare.

Il vecchio si piazza di fronte a mio padre, che infila indice e medio nel fazzoletto annodato al collo per allargarlo. Il bell'Antonio lo segue, senza staccargli la mano dal braccio. Gli occhiali scuri non se li toglie nemmeno adesso che è in casa. Il vecchio da vicino sembra ancora piú vecchio, la sua pelle è lucida di sudore e grigia come il suo abito, che odora di fumo stantio.

– Il barone Altavilla, – dice il vecchio, senza muovere un dito. Mi si stringe il cuore: si annuncia come se fosse un re, non si degna di dare la mano e pretende di comprarsi una moglie che ha l'età del figlio. Cerco gli occhi di Cosimino per spiare la sua reazione, ma lui è due passi indietro a mia madre e sorride con educazione.

Il vecchio sfiora la schiena del bell'Antonio e cosí questo si gira in direzione di mio padre, come se fosse un pupo comandato dai fili. Poi gli porge la mano e dice: – Franco, molto lieto –. Quando sorride mostra denti bianchissimi.

29.

– Ebbe la malattia da bambino, – racconta il vecchio a mia madre, che è l'unica che gli dà parola. Mio padre, a capotavola, si comporta come se fosse una domenica qualsiasi. Cosimino ascolta la storia con l'attenzione di quando da piccinno seguiva quella di Giufà. Franco è seduto di fronte a me. Lo osservo di nascosto: raccoglie il cibo dal piatto senza guardarci dentro, ogni tanto il vecchio gli versa l'acqua e gli accosta la mano al bicchiere. Parla poco, ma anche la voce è bella. – I genitori si rivolsero ai migliori medici, – prosegue il vecchio, – anche in continente.

All'improvviso mia madre viene colta da un sospetto: – È ereditaria?

– Nessun altro in famiglia, – la rassicura lui. – Avranno figli sani.

Mi sento il sangue inquieto: le mie compagne mi hanno raccontato che bisogna stare con lo sposo dentro al letto. Gli guardo le mani, che si muovono sulle posate di fronte a me. Sono bianche e lisce, diverse da quelle di mio padre. Per avere il figlio, quelle mani dovranno firmare le carte nella chiesa, sfiorare le mie al tavolo del banchetto di nozze, scivolare sotto la camicia da notte che mi ha cucito mia madre e toccarmi la carne.

– Bisogna fare un brindisi agli sposi, Salvo, – propone mia madre con la sua risata di tosse, per togliere mio padre dal silenzio. Lui impiega molto tempo a masticare un boccone e dopo si pulisce la bocca con il tovagliolo. «Non lo preferisco», immagino che stia per dire, invece solleva il bicchiere di vino rosso pieno per metà e mi guarda. – Auguri, – dichiara soltanto.

Il vecchio alza le sopracciglia e sulla fronte si formano tre linee orizzontali.

– Franco, mio nipote, è un ragazzo semplice e di buoni sentimenti, – precisa a voce alta come se lui fosse sordo invece che cieco. – I genitori non hanno potuto muoversi dalla città perché, come vi abbiamo fatto sapere, la baronessa è afflitta da una infiammazione ai reni, ma vi mandano i loro saluti e vi aspettano per ricambiare la vostra ospitalità. La volontà di Iddio gli ha concesso solo questo figlio, che nonostante la disgrazia è la loro unica gioia. Le ragazze della città sono troppo moderne, non hanno piú quei sani valori di una volta. Vogliono lavorare, vogliono uscire con le amiche, vogliono andare al cinema, a ballare. Non lo capiscono che si sciupano, perdono la loro purezza.

– Tante sono le brocche rotte, – annuisce mia madre. – Mia figlia è intatta.

– Cosí anche Franco: non ha mai conosciuto le donne, – assicura e si volta a scrutarmi, come per appurare se quello che afferma mia madre è verità.

– Noi Oliva l'abbiamo tenuta come un fiore, – conferma lei, e mi tocca la mano.

– Ne siamo convinti, – risponde il vecchio continuando a ispezionarmi. – Ci è giunta però notizia che la ragazza è stata già in contatto con qualcuno, pare abbia avuto una «simpatia», come dicono oggi i giovani.

– Nessuna simpatia, – si affretta a chiarire mia madre. Sistema con la punta delle dita una ciocca di capelli che però è già al suo posto. – Un giovanotto un po' vivace si è incapricciato di mia figlia, ma lei mai gli ha dato confidenza.

Guarda mio padre come se gli stesse facendo una supplica. – Mio marito gli ha fatto capire che non siamo interessati alle sue proposte e cosí, – abbassa gli occhi e fissa il ricamo della tovaglia, – si è messo in pace. Da quel momento la ragazza è sempre stata in casa.

Lo zio di Franco si gratta le rughe sulla fronte. Mia madre mi afferra la mano, la sua è gelata. Tutto per lei è dolore. Anche dare la figlia in sposa.

Il vecchio mi esamina ancora, come a volermi cavare fuori un segreto, infine sospira e guarda fuori dalla finestra. – La ragazza ha la terza media? – chiede, senza mai pronunciare il mio nome.

– Ha fatto anche due anni di magistrali, poi ce la siamo ritirata, – si giustifica mia madre.

– A Franco piace ascoltare un po' di lettura la sera prima di coricarsi, – dice lo zio conciliante. Si passa il dorso della mano destra sulla guancia come per verificare in contropelo la ricrescita della barba, si tiene il mento tra due dita per un po' e annuisce. Io e Franco restiamo ai nostri posti, immobili, l'uno di fronte all'altra. Il vecchio vuota in un sorso il suo bicchiere e si alza da tavola. L'esame è finito.

30.

Dopo pranzo, io e Franco dobbiamo fare una passeggiata nella terra intorno a casa per fare conoscenza, mentre loro dispongono le questioni materiali dello sposalizio. Il cieco mi si avvicina e posa la mano sul mio braccio. Non è come quella di Paternò: è leggera. Mio fratello non capisce se ci deve seguire oppure no e si volta verso mia madre in cerca del comando. – Lascia andare, Cosimino, – dice lei con un sorriso malizioso. – Tua sorella oramai si è fidanzata e i giovani d'oggi hanno diritto a un po' di confidenza.

Lui si ritira meravigliato e noi due usciamo. Anche io resto sorpresa, forse ci lascia andare da soli perché Franco non è in grado di vedere e quindi non può farmi niente di male. Camminiamo in silenzio senza provare imbarazzo, come se non ci fosse bisogno di dirci niente. Poi però mi viene in mente che lui è cieco, mica muto. Allora mi prende la preoccupazione di dover parlare per gentilezza, ma non mi viene nulla. Ho paura di offenderlo, ho paura di tutto: di passeggiare da sola con lui, di lasciare la mia casa e andare sposa in città, di finire triste e sola come Fortunata, di essere messa nelle mani di uno sconosciuto, di quelle mani che mi toccheranno per farmi fare un bambino. Paura di dovermi occupare del cieco ogni giorno della mia vita. Paura di scomparire, perché i suoi occhi non possono vedermi. Da dove passa l'amore se non dagli occhi? «Amore è uno desio che ven da' core per abbondanza di gran piacimento, – mi sembra di sentire la voce cantilenante della professoressa Terlizzi, – e li occhi in prima generan l'amore e lo core li dà nutricamento», diceva quell'antico poeta siciliano.

Il cieco è aggrappato al mio braccio ma in realtà è lui che conduce e, senza accorgermene, mi sincronizzo al suo passo. Mi sforzo ancora di dire qualcosa, però continua a risuonarmi in mente solo quella poesia. Mi giro verso di lui, lo fisso in viso e abbasso subito lo sguardo, per abitudine. Poi ci ripenso: se lui non può vedermi, io non devo tenere gli occhi a terra.

Franco si ferma all'improvviso dietro al casotto degli attrezzi di Pietro Pinna, in un punto dal quale non riesco piú a scorgere casa mia. – Ma tu ci vedi? – gli chiedo sospettosa. Lui fa una smorfia con la bocca e io mi mortifico: ho taciuto tutto il tempo per dire infine l'unica cosa che non sta bene.

Si toglie gli occhiali scuri. Io stacco il braccio dal suo, per il timore. Agito una mano davanti al suo viso ma le iridi, chiarissime, restano ferme come due lampadine spente. – Devi fare una cosa per me, – dice e mi cerca le mani. Indietreggio di un passo. Anche se ci hanno fidanzati non voglio che mi sciupi prima del tempo. – Hai paura? – No, – mento con il cuore che mi esce dal petto. – È una cosa che a te non costa niente ma per me è importante –. Mi tocca le mani, ne liscia il dorso e poi con la punta dell'indice sfiora il palmo. Nessuno mi ha mai toccato lí. Sento una specie di solletico al centro del corpo. Il cieco risale verso ogni dito, fino a saggiare il contorno delle unghie, una per una, poi mi lascia e fa un passo verso di me. – Resta, non ti allontanare, – chiede. Io sono immobile, trattengo il fiato. «Amore è un desio che ven da' core», continuo a sillabare nella testa. – Chiudi gli occhi, – suggerisce. – Cosí siamo pari.

Non sta bene, avverte la voce di mia madre nella testa, però lo faccio ugualmente. Ritta a occhi chiusi davanti a lui mi sento spogliata, poi penso che non può vedermi e torno a respirare. Aspetto di sentire le sue labbra poggiarsi sulle mie, come ho visto nei giornaletti che mi porta Liliana nascosti sotto la camicetta, e mi si accende un calore nella pancia, piú in basso dell'ombelico. Ma non succede niente. Solo, ogni tanto, il vento che sempre si alza a quest'ora e fa frusciare le piante di mio padre e ora anche la mia gonna gialla che dalle caviglie sale verso le ginocchia. Allungo una mano per tirarla giú e poi mi fermo, tanto nessuno mi vede.

– Non ti muovere, – chiede il cieco, io obbedisco. Dopo qualche secondo sento i suoi polpastrelli sfiorarmi la fronte, partono dal centro, dove mio padre depositava il bacio della buona notte quando ero piccinna, e scendono verso le tempie, percorrono le sopracciglia contropelo, toccano le palpebre attraversando la linea delle ciglia, i pollici lambiscono le narici, i palmi si aprono sulle guance fino a scendere sotto le mascelle e mi catturano il viso. I mignoli sollevano leggermente i lobi delle orecchie e infine gli indici raggiungono le labbra. Di riflesso le tiro in dentro, in mezzo ai denti, e le sue dita si immobilizzano. Con un sospiro allora le spingo di nuovo in fuori. Franco stacca le mani dalla mia faccia, rimane solo l'indice della destra che lentissimamente segue il contorno della mia bocca e poi sparisce.

Restiamo cosí, io e il cieco, mentre il sole, forse, già tramonta. Io sono favorevole ai tramonti.

– Sei bella, – dice. Allora riapro gli occhi e torniamo verso casa.

31.

– Ti hanno fidanzata con un cieco? – dice Liliana con la stessa incredulità che avevo mostrato io a Tindara. Sullo scrittoio della sua camera i libri sono aumentati di numero, mentre i miei sono rimasti immobili sugli scaffali. Lo sgabuzzino per la fotografia invece è sempre uguale. Liliana immerge i fogli bianchi in un bacile con una pinza di metallo. – Mi fai da testimone? – chiedo mentre nella penombra aspettiamo che l'immagine si riveli.

– E tua madre che dice?

– Cosí vuole anche lei.

Sulla carta satinata si intravede una donna vestita di nero con gli occhi infossati e la bocca carnosa tra gli scuri semichiusi di una finestra, come se la stessero per inghiottire dentro casa. – Fortunata! – grido. – Quando l'hai scattata?

– Non lo chiedi a lei di accompagnarti in chiesa?

– Lei non esce.

– E non ti sei mai domandata il motivo?

– Musciacco è geloso, – rispondo, – ma Franco è differente, – aggiungo piú per convincere me stessa che lei.

– L'hai visto una sola volta –. Afferra il foglio con la pinza e lo lascia galleggiare nel liquido reagente.

– Non è vero: è tornato ancora. Siamo usciti per mostrarci al paese. E mia madre, da quando mi hanno fidanzata, mi tiene piú libera. Oggi mi ha dato il permesso di venire da te.

– La libertà finisce e passi da una prigione a un'altra.
– Franco è stato buono, se non fosse per lui...
Liliana estrae il foglio dalla vasca e lo fissa con una molletta come un capo di biancheria ad asciugare.
– Parli come se ti stesse facendo un piacere.
– Mi tira fuori da una brutta situazione.
Liliana continua ad armeggiare con i suoi strumenti.
– Te la ricordi, la maestra Rosaria? – mi chiede dopo un po'.
– La maestra Rosaria era...
Mi blocco. Non è vero che era una sbrigugnàta. – È stata sfortunata, – concludo. Poi penso che anche mia sorella è stata sfortunata, e Nardina, la madre di Saro, e le due Scibetta, la sottile e la larga, e Miluzza che rimarrà zitella, e Agatina, quella delle cinque coltellate, e Tindara, costretta dai genitori al colpo di fulmine per corrispondenza. Nascere femmina è tutta una sfortuna.
– La maestra Rosaria ci ha insegnato a ragionare con la nostra testa.
– Io a Franco gli voglio bene, – affermo. – Non è come gli altri maschi: lui è delicato.
Fissiamo entrambe l'immagine di Fortunata. Lei bionda io nera, lei con occhi grandi e verdi, io due olive scure, lei alta e formosa io piccola e ossuta. Paragono i tratti suoi ai miei e distinguo le similitudini dalle differenze, come se questo potesse separare anche i nostri destini.
– Vieni stasera alla riunione, – dice Liliana a bruciapelo. Non è domanda, è ordine.
– Non posso, sono impegnata, – rispondo subito, pensando a mia madre.
– Allora è bugia che ora da fidanzata sei piú libera.
– Non ci voglio incontrare quello là, – rispondo, e mi sembra di avvertire nelle narici l'odore dei gelsomini.

– Paternò? Ma quello se ne è partito, – dice Liliana.

– Dove? – Il cuore rimbalza sullo stomaco.

– Da quel suo zio in città.

Mi affloscio sulla sedia di fronte allo scrittoio. Tra poco sarò sposa e non lo rivedrò mai piú. Sento sollievo ma anche un vuoto improvviso per una cosa che era solo mia. Liliana mi porge la foto di Fortunata e io non la prendo, voglio ricordarla come era quando ancora aveva una faccia, adesso sembra un fantasma. Esco dalla camera, nel soggiorno il signor Antonino seduto in poltrona legge un giornale che si chiama «l'Unità». Alza gli occhi dal foglio e mi scruta.

– Sei la figlia di Salvo Denaro.

Abbasso la testa per dire di sí. – Sei stata alle nostre riunioni del giovedí, se gli anni che ormai avanzano non mi fanno ricordare male.

– Solo una volta, – dico con un filo di voce.

– Quando vorrai avere l'amabilità di farci nuovamente visita ne saremo onorati, – mi sorride con gentilezza e torna a nascondere il viso dietro alle pagine scritte fitto fitto. Liliana arriva dalla sua stanza con una pila di giornaletti e un girocollo di corallo. – Questi sono per te, – dice.

– E la collana?

– Per il matrimonio. Il corallo è buon augurio, ho gli orecchini uguali. La sposa e la testimone devono essere abbinate.

Ricevo il gioiello dalle sue mani. Chissà se a Franco piacerà, penso. Poi realizzo che lui non la potrà vedere: la collana, il vestito, le scarpe, i fiori, e nemmeno me.

32.

– Un vero uomo deve avere: buone braccia per lavorare, testa fina per ragionare, occhi aperti per vigilare. E la moglie e le figlie, non farle andare di qua e di là, – dice don Ciccio il merciaio, stringendo il berretto in mano.

Liliana e io siamo sedute davanti, accanto a Calò. Di nascondermi in mezzo alle reti non me ne curo, questa volta. Il mese che viene compio sedici anni, sono stata regolarmente fidanzata e presto sarò sposa.

– E la donna? – chiede Calò con la voce dolce, come di femmina. Liliana appunta ogni cosa su un quaderno.

– La donna deve sapersi conservare, – riprende quello, – e appoggiarsi al marito come la vite al traliccio –. Molti di quelli riuniti nel capanno dicono che ha ragione. Lui continua: – Se la donna mettesse il cappello in testa al marito, sarebbe il finimondo, – e scoppia a ridere.

Guardo Calò per spiare se è d'accordo, ma dal suo viso non esce nulla. Ascolta tutti e solo ogni tanto fa domande. – Allora, se ho capito bene, la moglie deve restare a casa e seguire la volontà del marito. Siete d'accordo? Le signore presenti la pensano cosí anche loro?

– Io penso che non è giusto, – interviene una donna di mezz'età. Molti si voltano a guardarla. – Non è giusto, ma è necessario, – precisa. – In strada le ragazze devono essere accompagnate, perché se continuano a passare e ripassare per la via, la gente dice: dove se ne vanno? Gli uomini sono a caccia, è la loro natura, e chi agnello si fa, il lupo se lo mangia.

Liliana smette di scrivere e alza la mano, come faceva a scuola con la professoressa Terlizzi. – La vedova Grasso ha ragione, – dice, – però vedete che qua il torto è anche delle donne. Sono loro a insegnare alle figlie le stesse cose che sono state raccomandate a loro. Se le madri spiegassero ai figli maschi il rispetto della donna, la parità, se permettessero alle ragazze di vivere liberamente e senza chiusure, se le facessero studiare e prepararsi per un lavoro... La mentalità di chi è colpa? Solo dell'uomo o anche della donna? Io penso che deve partire proprio da noi!

Le poche femmine presenti annuiscono, ma come si fa con una bambina che recita una bella poesia.

– Il Signore una figlia sola mi diede, – replica la Grasso, – e libera non l'ho potuta lasciare fino a quando non sono riuscita a fidanzarla. Poi, dopo le nozze, è il marito che ci deve pensare.

– Io credo che ha ragione Liliana, – dice una voce maschile dal fondo. – Le nuove generazioni di ragazze devono essere le prime a ribellarsi alle regole antiche e noi maschi le dobbiamo sostenere. Se si va uniti, si migliora tutti, altrimenti il mondo gira e noi restiamo sempre fermi.

Mi sporgo dalla sedia per vedere chi ha parlato: è Saro, non l'ho visto quando è arrivato. Liliana accosta le labbra al mio orecchio: – Negli ultimi mesi è diventato presenza fissa, – spiega. – Ogni tanto viene anche a casa per parlare con mio padre. – Si è fatto comunista pure lui? – chiedo. – No, dice che sempre borbonico resta, come suo padre, però vuole studiare e gli piace capire le cose. – Magari ci viene solo per incontrare te, – sussurro, e spio la sua reazione. Lei scuote la testa, Saro guarda dal fondo della sala e abbassa il capo in segno di saluto. È dal pomeriggio in cui mi guardò la camicetta bagnata che non l'ho piú incontrato.

– Ci sono casi, per esempio, – dice Saro alla vedova, – in cui si cresce insieme, si beve lo stesso latte, si divide ogni cosa e poi lo stesso si finisce separati, maschio da un lato e femmina dall'altro, come due partiti opposti. Nemmeno piú una parola ci si scambia, e le cose le vieni a sapere dalla gente.

Sembra che parli a tutti, ma è me che guarda.

– Però queste confidenze tra maschio e femmina possono essere pericolose, – ammicca don Ciccio. – Si inizia a parlare e si finisce a cosare... – Molti ridono.

– Quindi, – riassume Calò con calma, – l'uomo e la donna non possono essere amici?

– Amici? – risponde quello. – Se un uomo vuole essere amico a una donna ci ha sempre il suo interesse. Dico bene, Saro?

Saro resta zitto sino alla fine della riunione. Di tanto in tanto lo scruto per indagare se i suoi occhi incrociano quelli di Liliana. Quando usciamo, lui non c'è, è andato via senza aspettarci. Attraversiamo lo stradone che il sole sta calando.

– Non hai detto nemmeno una parola, – osserva Liliana.

– E che dovevo dire?

– Anche secondo te la donna deve stare sottomessa all'uomo, vivere in casa, senza lavorare?

– Il mio parere niente conta, mondo era e mondo è.

– Sí, ma tu che pensi di fare dopo il matrimonio? Credi che Franco ti permetterà...

– Franco è un uomo generoso e si curerà dei miei bisogni, – la interrompo.

– Generoso o tirchio, non è questo il sale del discorso. Io per esempio dopo la scuola voglio diventare maestra o fare la fotografa, magari andare a vivere nella capitale e diventare deputata, come Nilde Iotti...

Sulla strada quasi vuota si sentono solo i nostri passi. Dietro di noi, a qualche metro di distanza, una macchina cammina lenta, a fari spenti.

– Bene per te, – commento, e infilo il braccio sotto il suo. – E per il signor Iotti, se a lui sta bene cosí...

– Il signor Iotti? E chi è?

– Il marito di questa Nilde che mi nomini sempre, no?

– Non esiste nessun signor Iotti, non è sposata, – chiarisce Liliana.

– Chi non ha marito non ha nome, – rispondo con le parole di mia madre.

Liliana scuote il capo e corruga le sopracciglia, si ferma e mi squadra perplessa, come se io non riuscissi a vedere un asino in mezzo a una cucina.

– Tu a scuola eri la piú brava: vuoi finire casalinga come tutte le ragazze di Martorana?

Le regole della donna sono: sposati, fai figli e bada alla casa, ripeto mentalmente. Le regole degli uomini sono... Poi sento un rumore alle nostre spalle, mi volto indietro e proprio in quel momento l'automobile che era dietro di noi svolta per una via laterale.

– Io non ho grilli per la testa, – dico a Liliana, frettolosamente.

All'incrocio ci fermiamo, le nostre strade si dividono: la casa di Liliana si trova dal lato opposto del paese, vicino al mare, dove stanno iniziando a sbancare per costruire le palazzine nuove. Poco lontano, ancora il motore di una macchina, mi sento il sangue gelato.

– Mi gira un po' lo stomaco, – le dico, – potresti accompagnarmi per un tratto?

Ci dirigiamo insieme verso lo sterrato con passo svelto e arriviamo nella terra di mio padre quasi correndo. Le luci di casa sono accese e lui è davanti al recinto delle galline. In ginocchio, la testa tra le mani, guarda la gabbia vuota e non dice una parola. Accanto a lui Violetta, Rosina e altre due galline senza vita. – Che fu? – chiedo puntando le ginocchia tra l'erba soffice. Lui scuote la testa.

– Andiamocene dentro, pà, – dico e lo sollevo per un braccio.

– Non lo preferisco, – risponde fissando prima la gabbia vuota e poi le galline afflosciate a terra. Mia madre questa volta non si lamenterà con noi in calabrese: la vernice gialla non ce l'avevamo passata, sulle assi del pollaio.

Restiamo in cerchio come a una veglia funebre. – Colpa mia, – sussurro all'orecchio della mia amica, mio padre però sente. – Febbre dei polli, – dice, e rientra in casa. Cosimino ci raggiunge e afferra Liliana per un braccio. – Ti riaccompagno io, – dice. Liliana non replica e si avvia docile sotto la sua protezione. Non siamo tutti uguali, maschi e femmine, lo sa anche lei.

33.

– Uno, due, tre, quattro e cinque, – conta la signora Scibetta. Mia madre sistema i confetti sul centrino in macramè e ci infila il bigliettino con sopra scritto in caratteri ornati: Oliva Denaro e Franco Colonna. Poi lo passa a Miluzza, che serra l'involto con il nastro bianco e lo tronca con la lama delle forbici. Mi piace il mio nome accanto al suo, come se a quella colonna mi ci potessi sorreggere.

Io e le due Scibetta figlie andiamo avanti a ricamare. Invece della panca di legno, oggi mi hanno dato il posto sul divano, in mezzo a loro due.

– Devi salutarmi tanto la tua consuocera, Amalia, – dice la signora, seduta in poltrona, mentre deposita i confetti, – un'altra volta che la vedi.

Mia madre stringe le labbra, i genitori di Franco non li abbiamo ancora mai incontrati.

– Per fortuna abitano in città e certi particolari non gli sono arrivati all'orecchio, – insiste a punzecchiarla.

– Come si dice, – fa la figlia larga, – occhio non vede, cuore non duole.

La sorella sottile interrompe il cucito per portarsi una mano davanti alla bocca, ma la risata si sente ugualmente.

– Sono i vantaggi di maritarsi con un cieco, – continua la prima. – Tante cose non le può venire a sapere.

– Cieco è, mica sordo, – ribatte Mena.

Miluzza mi guarda dall'altro lato del tavolo con gli occhi tristi. – Dicono che è bello come un attore del cinema, è vero, Oliva? – domanda per cambiare discorso.

– Com'era il titolo di quella pellicola? – chiede Nora.

– *Il bell'Antonio*, – suggerisce Mena.

– Al cinematografo le mie figlie non ci vanno, non sta bene, – ci tiene a precisare la madre. – Conoscono solo i manifesti nella piazza.

– Certamente, – si difende la larga, – io la storia del film la so per sentita raccontare...

– Speriamo che lo sposo tuo non abbia lo stesso temperamento fiacco, – dice la sottile e questa volta non cerca nemmeno di nascondere la risata.

– E pure se fosse, Oliva, poco importa: ti sposa praticamente senza dote mentre tu diventi baronessa, – aggiunge la madre. – Con l'imbroglio in cui ti eri cacciata, devi ringraziare santa Rita.

– Santa Rita è la patrona dei casi disperati, – rispondo senza sollevare gli occhi dal centrino. – Io e Franco ci sposiamo per amore, non per disperazione.

Le sorelle tacciono. Mia madre fa un colpetto di tosse, quella simile a una risata.

– L'amore, – dice la Scibetta infastidita. – I giovani di oggi sono troppo romantici, non è vero, Amalia? Dovrebbero dare ascolto ai genitori e basta. Perfino Paternò, quando il padre lo ha allontanato dal paese, non ha fiatato. Certo che questi nuovi ricchi sono presuntuosi: per suo figlio chissà che cosa pretendeva, magari una principessa. Quando ha saputo che si era incapricciato di una nullatenente ha minacciato di diseredarlo. D'altra parte quel giovane non gli dà altro che tribolazioni, ha il sangue caldo e, quando uno è cosí, c'è poco da fare. Per questo le figlie bisogna tenersele ritirate.

– Ad andare troppo in giro ci si perde, – conferma la larga.

– Ti mostri oggi, ti mostri domani, – spiega la sottile, – è naturale che all'uomo gli viene l'acquolina in bocca. Se ti fai sospirare e poi ti neghi, quello reagisce malamente. Bisogna sapersi amministrare.

– Mia figlia non tiene peccato – dice mia madre emergendo dal suo silenzio. – L'unica sua colpa è avere molte qualità, – si volta verso Mena e Nora con un sorriso malizioso, – e molti corteggiatori, – aggiunge.

Poi si zittisce e nessuna parla piú. Nel salotto delle Scibetta rimbomba solo il ticchettio dei confetti che, a uno a uno, scivolano tra le dita della madre e finiscono nel centrino. Quando ce ne andiamo, non ci invitano per il rosario né ci affidano altri lavori di cucito. Mia madre è stata anni seduta sulla panca di legno senza dire una parola e oggi con una sola frase ha perso la migliore sua cliente. È stato questo il suo regalo per il mio matrimonio.

Ci avviamo verso casa tenendoci sottobraccio, quando svoltiamo per lo sterrato ci corre incontro Cosimino con gli occhi rossi e le braccia in aria. – Le piante col sale ci uccisero! Siamo tornati dal mercato, io e papà, e il campo era tutto allagato.

– Benedetto Iddio! – urla mia madre staccandosi da me. – Com'è stato?

– Qualcuno ha disciolto il sale nel pozzo e poi ha inondato la terra! – Si asciuga le mani sui pantaloni da lavoro e fissa il selciato. – E nessuno ha visto niente: ci hanno lasciati soli!

34.

– Che cosa vuol dire che bisogna rimandare? – grida mia madre.

– Amalia, quietati, – risponde Nellina, abbassando la voce.

– E lo devo venire a sapere cosí, in mezzo al mercato, a due settimane dallo sposalizio?

– È notizia fresca, – si giustifica lei. – Io stessa l'ho appurato stamattina. I Colonna mi fecero arrivare l'imbasciata che il male della baronessa è peggiorato. Mica si possono celebrare le nozze insieme all'estrema unzione. Stavo venendo a dirtelo a casa, poi ti ho vista per strada...

Mia madre si passa la mano sugli occhi, non può nemmeno lamentarsi in calabrese perché in mezzo alla gente non sta bene. – Doveva comunicarcelo lui in persona, – dice. – Come è arrivato a casa nostra per il fidanzamento, cosí tornava per dirci questo.

– È figlio unico, Amalia, non si stacca dal capezzale di sua madre.

Nellina ci conduce in una via solitaria, distante dalla folla. La tiro per un braccio come una piccinna capricciosa. – Ha cambiato idea? – chiedo. – Non mi vuole piú? Dimmi la verità, Nella...

– Che dici, figlia mia! Si tratta di disgrazia, bisogna compatire.

– Qualcuno li ha informati della terra di mio marito? – fa mia madre.

La perpetua gira la faccia dall'altro lato. – Che terra? Non so...

– Per errore qualche settimana fa Salvo gettò sale al posto del pesticida, lo sai che ha sempre la testa per aria, e qualche pianta se ne morí. Ma la gente, sai com'è fatta: ricama, cuce, e un fatterello diventa un romanzo.

Ripenso alla faccia di mio padre quando, la settimana prima, camminava tra le sue piante ammalate. Solo quello ci rimane: quattro sterpaglie e le galline morte, disse mia madre quando entrammo in casa. Le poche lire che ci dava la Scibetta se le era giocate per una cattiva risposta dopo anni passati a ingoiare veleno. Magari aveva creduto che a noi da quel momento in poi ci avrebbe pensato Franco, ma adesso anche quella colonna si viene a incrinare.

– Amalia, una famiglia cosí importante, come vuoi che si impressioni per due pomodori andati a male nel tuo fazzoletto di terra? È gente seria, non ti allarmare. E Franco non è persona da venire meno ai suoi impegni per due minacce.

Mia madre si porta le mani al viso. – Chi l'ha minacciato? Ma che mi racconti, Nellina?

– Io non ti ho detto niente! – sbraita con gli occhi sbarrati per lo spavento. – Non mettermi in bocca le parole!

Dal fondo della stradina arriva il parroco con le mani incrociate dietro la schiena. – Scusami, Amalia, devo andare a preparare il pranzo per don Ignazio, – si giustifica Nellina torcendosi le mani. – Resta tranquilla, però, che tutto finisce bene. Anche tu, Oliva, non darti pensiero, presto andrai sposa, devi solo pazientare un pochino ancora. Sei cosí giovane! Quanto hai?

– Ne compio sedici il prossimo due luglio.

– Brava, tra un mese giusto. Don Ignazio, don Ignazio! – Nellina sventola le mani verso il parroco che ci viene incontro dall'altro capo della strada e gli fa segno di fermarsi. Quello vede me e mia madre e abbassa gli occhi. Nellina lo raggiunge prima che lui ci si avvicini e lo conduce via a passo svelto.

Noi due restiamo sole per la strada. – Non ce lo è venuta a dire in casa perché ha paura, – sussurra come se parlasse tra sé. – Povera figlia mia, – ripete scuotendo la testa fino a che non ci ritiriamo, – povera figlia!

35.

Dal mio letto sento l'acqua battere sui vetri e i tuoni scoppiare in lontananza, ma l'aria è calda e sotto le lenzuola mi sento soffocare. Dapprima tutti mi volevano e adesso nessuno. E se nessuno mai mi vorrà bene, mica potrò volermi bene da sola. Siedo in mezzo al letto con la faccia tra le mani. Se fossi nata maschio come Cosimino, avrei potuto restare con me stessa e non appartenere a un uomo. Invece sono nata al femminile e il femminile singolare non esiste, anche se la maestra Rosaria non ci credeva.

All'alba i passi di mio padre si avvicinano alla mia stanza. – Che fu? – gli chiedo. Il cielo fuori è scuro e lui è già sbarbato e pettinato. Gli occhi mi pungono per il sonno. – Vai a fare le lumache con il vestito buono?

– Preparati in fretta perché questa mattina i babbaluci li andiamo a stanare fino a casa, – dice, e torna in cucina.

Usciamo che mia madre e Cosimino dormono ancora, la terra è umida e il fango mi sale sulle scarpe. Mentre camminiamo verso la fermata della corriera, il sole fa capolino tra le nuvole. Attraversiamo la piazza vuota, la saracinesca del bar è ancora serrata. Qualche vecchia sente il rumore dei passi nel silenzio e si affaccia alla finestra per spiare da dietro gli scuri accostati. Io stringo la mano di mio padre due volte, appena appena, saliamo a bordo e ci sediamo in ultima fila, sul lato destro: io accanto al finestrino, lui verso il corridoio, non c'è nessun altro. Quando l'autista mette in moto, mi sento le gambe molli, in corriera non c'ero mai stata. Procediamo lentamente, all'inizio, e guardo la vita che si risveglia: le donne escono col velo nero in testa per la prima messa, gli uomini vanno verso i campi o verso il mare, a seconda del travaglio, i banchi del mercato vengono allestiti. La pasticceria è chiusa. Poi l'autobus prende velocità, arriviamo dall'altro capo dello stradone e ci immettiamo sulla statale che conduce in città. Dopo le ultime case c'è un segnale stradale con sopra il nome del mio paese barrato da una croce, come se fosse morto. È la prima volta che esco da Martorana e mi sembra di morire un po' anche io.

– Un'oretta ci vuole, e siamo arrivati, – dice mio padre come se stessimo andando a fare la gita del lunedí in albis.

Dopo la pioggia della notte l'aria è brillante al primo sole. Lui guarda il paesaggio fuori dal finestrino socchiudendo gli occhi per la troppa luce che riverbera sul mare. Il mare non gli piace, preferisce la terra. In mare nessuno è maestro, dice qualche volta con la voce dispiaciuta.

Dopo un po' la corriera rallenta e si ferma.

– Già ci siamo? – chiedo con il cuore che mi fugge dal petto.

Ma l'autista grida il nome di un'altra cittadina.

– Ancora ci vuole, – dice mio padre.

La corriera riparte seguendo il profilo tortuoso della costa, io mi sento lo stomaco in subbuglio.

– Questa mattina volevo andare a fare le lumache, – inizia a raccontare, – perché dopo tanta siccità ne sarebbero venute fuori a centinaia. Mi sono messo i pantaloni da lavoro, gli stivali di gomma, la giacca per la campagna, però non trovavo il cappello.

Si ferma come se la storia fosse finita, ma non ne capisco il significato. Alla fine delle favole degli animali parlanti sempre l'insegnamento c'era. E infatti continua.

– L'ho cercato, niente. E a me non piace uscire senza cappello.

Lo guardo: ha la testa nuda, i capelli biondi e, solo adesso lo noto, qualche filo bianco che prima non c'era.

Si tocca il capo. – Sai perché non l'ho trovato?

Giro la testa da un lato all'altro.

– Perché marcí nell'acqua, – risponde e poi tace ancora per un po' prima di riprendere. – Insieme ai pomodori, alle erbe, a tutti i frutti del mio giardino.

Il suo viso non ha mutato espressione, come se stesse raccontando che cosa ha mangiato a colazione. – Sono andato nella terra senza il cappello, – si liscia la testa, – ma ho iniziato a provare fastidio. La cosa strana è che aumentava via via che mi avviavo per il campo, e ho cominciato a sentire noia per altre cose. Per una vescica che ho al piede sinistro, per una seggiola in cucina che balla su una gamba, per un'asse del carretto che si era allentata, e per il matrimonio tuo rimandato. Cosí mi sono messo di buona volontà e ho incominciato ad accomodare tutto. Ho medicato il piede, ho pareggiato la sedia, ho accomodato l'asse e mi sono andato a preparare.

La corriera si ferma e il conducente annuncia il nome di un altro paese.

– Se una cosa non funziona, – riprende appena si riparte, – bisogna tentare di raddrizzarla.

Non l'avevo mai sentito parlare tanto a lungo. Forse ha iniziato a provare fastidio anche di tacere. Mi viene il dubbio che la lingua di mio padre si sciolga solo in viaggio, come se il movimento gli agitasse dentro le parole. – Io la persona che mi ha mandato in rovina la roba la devo ringraziare, perché è proprio a causa del fastidio che ho provato che mi sono detto: Salvo, questo matrimonio o si fa adesso oppure non si farà piú e tua figlia rimane in una situazione poco piacevole.

Toglie gli occhi dal paesaggio che corre dietro il vetro e li sposta su di me. – Tu Franco lo vuoi? – Io mi guardo le mani e cerco la risposta.

Poi la corriera si ferma e il conducente annuncia il nome della città.

36.

Sono cariche di margherite le aiuole davanti al portone della chiesa, mia madre mi chiama qualche metro piú avanti, io mi fermo a recidere un fiore e lo sfoglio: lui mi ama, non mi ama, mi ama, non mi ama, mi ama, non mi ama piú. Getto via l'ultimo petalo bianco, ha mentito: lui mi ama ancora.

Il palazzo di Franco era proprio vicino al teatro lirico, come ce lo aveva descritto lo zio con la faccia grigia. Io e mio padre ci infilammo nell'atrio camminando a braccetto. È qui che avrebbe dovuto essere casa mia, pensai salendo le scale. Ci venne ad aprire una ragazza della mia stessa età, morbida e bionda, con le ossa delicate, poteva essere lei la figlia di mio padre. Mi venne un nodo di gelosia dentro la gola. «I signori oggi non ricevono, – si affrettò a dire. – Dovete tornare la settimana prossima».

«No, grazie, non lo preferisco», disse lui e non si mosse.

– E allora, – domanda mia madre. – Che cosa vuoi? La tradizione chiede i fiori d'arancio, ma puoi scegliere tu.

Studio l'espositore e resto indecisa. Non sono abituata a sapere che cosa voglio.

– Ci possiamo far mettere le rose, le peonie, le calle, i gelsomini... – suggerisce il fioraio.

– I gelsomini no, Biagio, – dico, e mi tornano in mente il profumo dolcissimo del mazzolino poggiato sull'orecchio di quell'uomo, il suo vestito bianco macchiato dal rosso dell'arancia, il fischio in strada, gli occhi che mi seguivano, le mani che mi stringevano alla festa del patrono, la voce, in pasticceria, che mi faceva venire il sangue tremante.

– Voglio le margherite.

– Le margherite? Sono fiori di campo, non da sposalizio! – mi corregge mia madre. – Che dite voi, Biagio?

Mio padre e io aspettammo fuori dalla porta per un tempo che mi parve lunghissimo.

«Mi vergogno, pà», mi lamentai.

«Anche io provavo vergogna, in principio, per via del cappello, – disse ravviandosi i capelli nudi. – Poi mi sono detto: Salvo, mica è stato per tua volontà che sei entrato in casa di questi signori a capo scoperto. E allora, di che cosa ti vuoi vergognare? La vergogna va a chi il cappello te lo ha sciupato, non a te. E a questi signori qua, che hanno paura che qualcuno gli sciupi anche la roba loro».

Queste ultime parole le disse lentamente e a voce alta per farsi intendere bene. Proprio in quel momento la cameriera bionda ricomparve e annunciò: «Potete entrare».

Attraversammo l'ingresso e fummo introdotti in una stanza grande, dove una donna molto elegante ci veniva incontro, seguita da un uomo basso e calvo.

– Vanno bene i fiori d'arancio, – stabilisce mia madre con il fioraio. – Le margherite le mettiamo nell'acconciatura. Sei contenta, Olí?

Sono contenta? Oggi compio sedici anni, la settimana prossima andrò sposa. Liliana si diploma maestra l'anno prossimo e un giornale della città le ha comprato delle foto scattate da lei. Credo di sí: sono contenta. È l'unico modo che ho per essere contenta.

– Ci vuole un fiore anche per oggi, – dice mia madre al fioraio. – È la sua nascita, – mi poggia le dita sotto il mento e lo solleva, come per mostrare una cosa di pregio. Il valore della femmina, penso, dipende dal maschio che la chiede.

– Alla signorina, se permette, il fiore per il compleanno lo voglio regalare io –. Biagio mi porge una rosa rossa dal gambo lunghissimo. – Senza malizia, – aggiunge allargando davanti a sé i palmi delle mani.

«Mi felicito di vedere che la signora ha recuperato salute», disse mio padre con la solita voce tranquilla. Nelle sue parole non c'erano né rabbia né ironia. La madre di Franco contrasse il viso e le grinze attorno agli occhi si fecero piú evidenti. «Per grazia del Signore», mormorò unendo i palmi delle mani dinanzi al petto.

«Me ne compiaccio, – continuò mio padre, – e spero di ritrovarla nello stesso vigore il giorno delle nozze, come era stato stabilito».

La donna strinse le labbra come se non volesse far uscire le parole che aveva in bocca. «La mia salute, – riuscí a dire alla fine, – è soggetta alle preoccupazioni e ai dispiaceri che mi affliggono, e ultimamente l'amicizia tra i nostri figli me ne ha cagionati troppi. Mi sembra evidente che proveniamo da contesti diversi e che un'intesa tra le nostre due famiglie risulta difficile. Se avete già promesso vostra figlia ad altri, non è giusto che a farne le spese siamo noi. Non è mia consuetudine mettere alla porta i visitatori, ma devo chiedervi la cortesia di lasciare la mia casa».

Sollevò gli occhi al cielo e poi li puntò su mio padre, scorrendolo dall'altro in basso come a evidenziare l'insufficienza della sua persona. Il marito calvo taceva, forse per abitudine.

– Statti attenta alle spine, – dice mia madre. Mentre attraversiamo la piazza, gli occhi della gente sono concentrati su di noi, ma nessuno bisbiglia al nostro passaggio, gli sguardi sono di ammirazione, e per la prima volta mi sembra che lei mi porti in giro con orgoglio.

Franco entrò in salotto pallido e con i capelli in disordine. Indossava una giacca da camera marrone chiaro e ai piedi aveva babbucce di pelle. Non somigliava piú al bell'Antonio, sembrava una divinità del cinema della categoria «innamorati sfortunati».

«Io invece ho consuetudine di tenere fede alla parola data, – rispose mio padre alla signora. – Franco fece una promessa a mia figlia. Se ha cambiato parere, ce lo deve dire lui stesso».

Mi condusse accanto a lui. «Franco», mormorai io. Chiusi gli occhi come il primo giorno dietro il capanno di Pietro Pinna e aspettai che le sue dita mi prendessero la faccia. Ma lui non si muoveva e non parlava. Le mani erano affondate nelle tasche della giacca. Quella era la colonna che avrebbe dovuto sorreggermi? Quelle, le braccia che avrebbero dovuto tenermi? «Andiamocene, pà», dissi e mi incamminai verso la porta.

«Oliva, aspetta, – sentii lo scalpiccio delle babbucce dietro di me e la voce di Franco che mi chiamava. – Mia madre, come vedete, ha recuperato la salute, – sussurrò, e gli tremava la voce. – Non esistono altri impedimenti».

Non aggiunse parole. Le frasi d'amore, i sospiri, gli sguardi erano solamente nei giornaletti di Liliana, diceva bene mia madre a non volerli in casa. Tornammo in silenzio con la corriera: non era il movimento a tirare fuori le parole dalla bocca di mio padre. Osservava il paesaggio dal finestrino e ogni tanto sonnecchiava inclinando la testa sulla spalla. Fastidio non ne aveva piú, lo sposo era recuperato. Mancava solo il cappello.

A metà dello stradone mia madre si ferma. – Olí, mi sono ricordata che devo passare dalla Scibetta, mi ha mandato a chiamare di nuovo, per un lavoro urgente –. Mi sistema una ciocca di capelli sfuggita dalla treccia. – Andiamo, facciamo presto presto, – dice, e si avvia nella direzione opposta. – No, mà, vai tu dalla Scibetta, – rispondo. – Io mi avvio a casa.

– Tu sola? A quest'ora?

– E che, mi rubano?

– La gente parla, Olí, e tu ti sei fatta bella –. Fa due passi indietro come per osservarmi meglio e si schiarisce la gola. – Vai dritta a casa, – dice e si toglie lo scialle di pizzo. – Mettiti questo, di sera cala l'umido. E non ti pungere, – aggiunge porgendomi la rosa.

Me lo sistemo sulle spalle e mi sembra di stare nel suo abbraccio. Mi avvio tenendo la rosa con due dita.

– Oliva, Olí, – mi richiama a un tratto dall'altro capo della via. – Statti accorta.

37.

Da piccinni, Cosimino e io compivamo gli anni insieme. Ogni due di luglio diventavamo piú grandi di un anno: cinque, sei, sette, otto. Mia madre ci misurava sullo stipite della cucina e segnava i nomi a matita con la data. Poi abbiamo smesso di crescere appaiati e le nostre tacche non coincidevano piú: a ogni compleanno lui diventava un po' piú alto e io un po' piú grande. Oggi che compiamo tutti e due sedici anni, lui mi supera di dieci centimetri e io supero lui di dieci anni. Io sposa e poi padrona di casa e poi madre. Lui ancora ragazzo, con gli amici fuori al bar. Il tempo per me è andato piú veloce e si consumerà piú in fretta.

Lo stradone è deserto, stringo lo stelo evitando le spine e accosto i lembi dello scialle. Le margherite sono piú facili delle rose: rispondono alle domande degli innamorati e non dànno dolore. Piú mi allontano dalla piazza, piú lo stradone diventa solitario e cammino rasente al muro per farmi accompagnare dalle voci che piovono dalle finestre aperte.

Da una via laterale arriva qualcuno e inizia a camminare alle mie spalle. Non mi volto a guardare quando sento il rumore delle suole che battono sull'asfalto. Affretto il passo e giro gli occhi a cercare un viso conosciuto. *Rosa, rosae, rosae* – inizio a cantilenare in mente – *rosam, rosa, rosa*. I passi si avvicinano. *Rosae, rosarum*… In fondo allo stradone, proprio all'altezza dell'incrocio con lo sterrato che mi porta a casa, spunta una macchina, rallenta e si arresta. Rallento anche io, riprendo fiato. Dentro ci sono un uomo giovane e una donna bionda, forse marito e moglie. Si guardano intorno, poi osservano una mappa stradale. L'uomo alle mie spalle intanto mi raggiunge, mi fa un cenno col capo, mi supera e sparisce dietro l'angolo, sempre di fretta. Lo riconosco, è don Santino, il padre di Tindara, il suocero per corrispondenza. Dall'auto si apre uno sportello, la donna scende e mi fa segno di avvicinarmi. – La strada per la città, bella giovane? – chiede. – Andiamo bene?

Da vicino sembra piú anziana. I capelli sono sottili e dalla radice spunta il nero della ricrescita, ai lati della bocca ha due rughe marcate, come se si fosse sforzata a lungo di sorridere. – La città? – domando. – Io non lo so. Però dovete uscire dal paese, – allungo un braccio nella direzione opposta alla mia e mi giro verso il lato indicato.

La donna mi prende il polso, mentre il marito sbuca alle mie spalle e mi afferra per la vita cosí forte che resto senza respiro. Mi manca il fiato per gridare, cerco con gli occhi qualcuno a cui chiedere aiuto ma lo stradone è vuoto. – Lasciatemi, – riesco solo a dire, la voce mi esce fioca. Agito braccia e gambe per divincolarmi dalla presa, quello mi solleva e i calci colpiscono l'aria. La donna apre lo sportello posteriore e il maschio indietreggiando mi trascina dentro. – Oggi è il mio compleanno, mi aspettano a casa, lasciatemi, – riesco solo a dire. La vecchia ride senza divertimento. – Auguri, bella mia, il regalo lo avrai questa sera, – dice e mi ficca un fazzoletto in bocca per impedirmi di parlare. L'auto parte, e lo sterrato scompare dalla mia vista. La stoffa ruvida ha un cattivo sapore e mi chiude la gola fino quasi a farmi soffocare. Intorno a me scorre un paesaggio che non so riconoscere, e la mia casa mi sembra lontanissima. Ho i pugni contratti e lo stelo della rosa ancora stretto tra le dita. Alcuni petali del fiore sono rimasti in strada, al posto mio. A me restano le spine. Io non sono favorevole alle spine. Quando apro il palmo della mano destra, è tutto rosso. Le macchie di sangue sono difficili da cancellare, cosí dice mia madre.

38.

La vecchia bionda si accende un'altra sigaretta, non ha mai smesso per tutto il viaggio e il fumo mi chiude la gola. Quanto tempo è passato non lo so. Quando la vettura si ferma, mi strattona fuori dalla macchina, nell'aria avverto l'odore del mare ma non riesco a scorgerlo all'orizzonte. Quella mi afferra per il polso e mi trascina verso una casa isolata, poi si accorge della mano mia ferita. – Io nemmeno un capello ti ho toccato. Quando viene, glielo devi dire che te lo sei fatto da sola, – ordina, e pare preoccupata.

– Falla passare per di qua, – fa il giovane. La vecchia apre con la chiave, mi tira dentro e richiude. L'interno è tutto scuro e per le stanze aleggia un odore dolciastro, come di profumo andato a male. Lei mi trascina in una stanza in fondo al corridoio e mi costringe a entrare. Mi guarda attentamente, forse per capire che cosa c'è in me che possa interessare un uomo, poi alza le spalle e senza dire una parola sbatte la porta e la assicura con un chiavistello.

Aspetto che gli occhi si abituino alla penombra. Le finestre sono serrate e un filo di luce trapela solo da una piccola apertura sotto il tetto. Su una parete l'armadio, sull'altra una toeletta, sulla terza c'è il dipinto di una donna con i capelli che le ricadono lunghi sul seno scoperto, al centro il letto.

Quando eravamo piccinni, la vigilia dei morti era l'unica festa per i regali. «Andate a letto, – diceva mia madre chiudendo le imposte e facendo buio in casa, – se i morti vi trovano dormendo vi portano scarpe nuove e pupatelli, altrimenti vi tirano i piedi e non vi lasciano neanche una spilla».

In un angolo della stanza c'è della biancheria: due asciugamani e una camicia da notte bianca ripiegata sul copriletto lavorato a mano. Pare stanza di sposa, e quello il mio corredo. Mi corico sul letto e aspetto.

Sono i morti, che vengono a portare i doni ai vivi, tutti i morti della famiglia, diceva mia madre. Arrivano di notte e passano dal buco della chiave, dalle fessure, e ti lasciano le cose. Io mi stendevo sotto alla coperta e respiravo in silenzio per sentire il rumore dei morti quando sarebbero arrivati. Se Cosimino parlava, gli dicevo: «Muto e buono, ché i morti ti tirano i piedi». Lui si zittiva per la paura, io sprofondavo la faccia nel cuscino e ripetevo le tabelline che la maestra Rosaria ci aveva insegnato. Partendo da quella del sette, che è la piú difficile.

Sfioro con le dita il ricamo e mi ritraggo subito. Non è per me, questa camera, non è il mio corredo, non sono io la sposa. Corro verso la porta e giro la maniglia con furia, come se potessi logorare la serratura. Ritorno al centro della stanza, afferro la coperta per un lembo e la tiro giú, e poi le lenzuola, i cuscini, gli asciugamani, la camicia. Ne faccio un mucchio sul pavimento e lo lascio sparire sotto il letto.

I piccinni lo sanno che, quando uno muore, torna ogni tanto per portargli le cose. Io dei morti non ho paura. Mi sdraio sul pavimento di pietra fredda, avvolta nello scialle di mia madre, e trattengo il fiato.

Muta e buona, se i morti ti trovano sveglia ti tirano i piedi, ma io dei vivi ho paura, non dei morti.

39.

Dalla stanza accanto arriva il suono della radio: vuol dire che la bionda è tornata. Dopo un po' sento il rumore del chiavistello, si apre la porta e lei compare con addosso gli stessi vestiti di quando mi hanno presa. «Non arrossire, quando ti guardo, – dice la canzone, – ma ferma il tuo cuore, che trema per me». Lei sospira e si guarda intorno con disappunto. – Voi giovani fate i guai e gli altri ci vanno di mezzo, – borbotta indicando il letto sfatto e la stanza sottosopra. Si china accanto a me sul pavimento e mi afferra per le spalle, ha mani forti come quelle di un uomo. Mi chiudo a gomitolo per oppormi alla sua presa. – Alzati, bella mia, – aggiunge con la voce benevola, – mica ti vuoi far trovare cosí?

Incrocio le braccia sul viso. – Trovare da chi? Io non vi conosco. Che volete da me?

Quella mi lascia, si solleva e siede sul bordo del letto spoglio. «Non aver paura di darmi un bacio», per un attimo socchiude gli occhi e dondola la testa seguendo l'onda della melodia. – Mica sei la prima che aiuto a maritarsi, – sorride. – Due giovani si vogliono bene, la famiglia si oppone oppure non ha i soldi per il matrimonio. Allora se ne vengono qua e... dopo è cosa fatta. Non lo faccio solo per il denaro, lo faccio per il bene. Perché dentro di me sono rimasta una ragazza romantica, – dice, e prende a cantare insieme alla radio con una vocetta stonata:

– No, non temere, non indugiare... – Si guarda intorno come se le mura potessero raccontare. – Prima era una casa di appuntamenti, – e indica il ritratto con la donna nuda, – adesso è casa di sposalizi. Sempre per l'amore ho lavorato io, – ride.

Si lascia scivolare a terra e siede accanto a me. Mi tiro lo scialle sulla testa, lei si avvicina e mi scopre il viso a forza. – Non lo capisci, bella mia? Per arrivare a questo, vuol dire che ti vuole bene. Mi ha comandato di trattarti come una regina, no, aspetta, come una rosa. Cosí ha detto. Sei fortunata.

Fortunata, penso, proprio come mia sorella.

– Chi ti vuole bene non ti strapazza, non ti intimorisce, non ti forza, – rispondo, e scoppio a piangere, come una piccinna che al risveglio non ha trovato nemmeno un frutto candito in regalo.

Lei si accosta ancora, ha l'alito che sa di fumo e le iridi di un blu molto scuro. Forse un tempo era bella. «Non arrossire, quando ti guardo», ripete la radio. – Dài retta a me: a piangere ti sciupi solamente gli occhi, – dice, e mi porge un fazzoletto. – Glielo devi dire, – mi avverte con tono minaccioso, – glielo devi dire che ti ho trattato bene, mi raccomando.

Tiro fuori la testa dallo scialle e prendo a battere i pugni sul pavimento. – A casa mia voglio tornare, – grido con la voce crepata dal pianto. – Mia madre e mio padre mi aspettano, la settimana prossima vado sposa, qualcuno verrà a prendermi, – mi lamento, mentre mi tornano davanti agli occhi l'abito bianco confezionato da mia madre, la collana di corallo di Liliana, i fiori d'arancio e le margherite dal fioraio.

– Ma quale sposalizio, quale fidanzato? – mormora a mezza voce, mentre si inginocchia per recuperare lenzuola e copriletto. – Quando esci di qua solo di un uomo puoi essere. Chi se la prende piú una già consumata?

La femmina è una brocca, diceva mia madre.

– Tu hai avuto una buona sorte, – fa volare il lenzuolo sul materasso e si china a rimboccare i lembi. – È un bel giovane, ha una buona posizione, poteva avere chi voleva –. Tende la stoffa sul letto da un lato, ci gira intorno e ripete lo stesso gesto dall'altro. – Vai a migliorare, bella mia, – dice senza guardarmi, come se parlasse a sé stessa. – A chi sei figlia tu? Che cosa possiede tuo padre?

– Mio padre non ha piú niente, – singhiozzo io. – Tutto gli tolse.

– È la forza dell'amore. Ti vuole tutta per sé. C'è chi farebbe carte false per stare al posto tuo.

Mi alzo di scatto e corro verso la porta, mi aggrappo alla maniglia e spingo con forza. – Lasciami andare, te ne prego, – mi inginocchio davanti a lei. – Sei una donna come me, mi puoi capire!

Lei raccoglie i cuscini e li sistema sul letto con gli stessi gesti che sempre ho visto fare a mia madre. – Io? Io capisco benissimo, sei tu che non vuoi capire, – raccoglie la camicia da notte e la allunga sul copriletto. – Uguale a te, ero, – carezza la stoffa e inizia a piegarla, – cosa credi, che bionda ci sono nata? – si passa una mano tra i capelli. – Avevo il fidanzato. Lui amava me e io amavo lui –. Ride con amarezza, raccoglie gli asciugamani e li ripiega in quattro parti. – Ma lui non ci credeva, voleva la prova dell'amore. Ero ingenua, pensai che, se non gli davo la prova, lui mi lasciava per un'altra piú appassionata. «Non si fa del male se puro è l'amor», canta la radio. Per quanto mi sforzi non riesco a immaginarla giovane e con i capelli di un altro colore, deve essere passato troppo tempo. – Cosí cedetti, una sola volta. Il giorno dopo lui mi lasciò, – mi confida. – Era un inganno per mettermi alla prova: disse che ero una facile, che non ero capace di resistere alle lusinghe. Io lo avevo fatto solo per accontentare lui, nemmeno mi piacque, anzi mi fece male. Cosí restai disonorata e sola, padre non ne avevo, soldi nemmeno. La donna un'unica cosa ha di prezioso, dopo non vale niente.

Estrae il pacchetto delle sigarette dalla tasca della gonna e se ne accende una. – Piú tardi però ho scoperto che tutti mi volevano, ma solo per una notte, – dà una boccata e ride di malinconia. I suoi occhi sembrano neri, tanto si fanno profondi.

– Il caso tuo però è diverso, – dice poi con voce suadente, – tranquilla puoi stare, bella mia.

Resto in piedi, con le spalle attaccate alla porta, come se spingendo potessi attraversarla.

– Una volta che ti ha preso di forza, deve riparare con il matrimonio. Altrimenti va in galera.

– Ma io non lo voglio, – grido e batto i pugni contro il legno dell'uscio.

– Come, non lo vuoi? Una donna senza marito è come metà forbice: non serve a niente, – mi sembra di sentire le parole di mia madre. Mi prende per mano e mi conduce davanti alla specchiera. La seguo senza piú forze, come una bambina docile. Sulla mensola della toeletta è appoggiato quel che resta della rosa che stringevo tra le mani. Nel riflesso vedo le mie lacrime scendere sulla faccia scura e magra, con gli zigomi alti e la bocca grande. – Non piangere, figlia mia, – dice, – non cambia niente –. Nella cornice dello specchio il suo viso compare dietro al mio e per un attimo riesco a intuire il suo aspetto di prima. – Non cambia niente, – ripete lei e spegne la sigaretta nel posacenere. «Ma ferma il tuo cuore che trema d'amor», la canzone finisce e ritorna il silenzio.

– Quest'uomo qui o un altro o altri mille è la stessa cosa, – sentenzia lei. – Prima fa male, poi non senti niente piú.

40.

Tutta la notte ho tenuto lontano il sonno, per paura che quello mi trovasse indifesa. Come quando da piccinna aspettavo i morti. «Muta e buona», cosí diceva mia madre, e io spalancavo gli occhi a esplorare il buio.

Poi all'alba rumori di auto, sbattere di sportelli e una voce: – La donna è di chi la sa cogliere, come la rosa.

Entra nella stanza e si ferma sulla soglia. Mi rannicchio al centro del letto e con le ginocchia al seno mi faccio guscio. Lui avanza verso la toeletta e solleva il fiore spampanato per il gambo. – Sei bella come lei: rosa fresca e aulentissima, ricordi? Anzi, di piú, perché questa sfiorisce in un giorno e tu rimani in boccio. La piú bella di tutto il paese, – aggiunge, e ripenso alle ultime parole che mi ha detto mia madre prima di separarci.

Io se sono bella non so e anche per questo preferivo nascere maschio come Cosimino, a lui nessuno deve dire come è, lo sa da solo. Alla donna il corpo è fardello.

– Ti ho fatto mettere le lenzuola di mia madre, – sussurra sfiorando il tessuto, e si avvicina.

Io resto chiusa, la testa conficcata nelle spalle. Non mi muovo, non parlo, non respiro. Come i babbaluci sono.

– Questo è per te, apri –. Siede sul letto e poggia un pacchetto sul cuscino.

– Apri! – ripete, con impazienza. Io non mi muovo, lui

solleva il coperchio della scatola. Ecco che arrivano, penso, i doni dei morti.

– È pura seta, in città lo portano le signore alla moda. Una finezza. Te lo devi mettere dopo, quando usciremo, al posto di quel vecchio scialle consumato.

Dopo. Tra me e quella porta c'è un prima e un dopo. Un confine che non voglio passare, perché quel confine sono io, è dentro di me.

Allunga un braccio e mi afferra il piede. Le mani sfiorano la pianta e si insinuano tra dito e dito, come quelle di mia madre quando ero piccinna per eliminare i granelli di sabbia. Sulla pelle sento il calore delle labbra, morbide come mollica di pane.

– I piedi ti bacio, sei la mia regina. Rosa, rosa fresca...

La bocca risale con lentezza fino alla caviglia. Mi attira a sé e io mi aggrappo alla sponda del letto, ma all'improvviso mi sento fiacca, senza energie.

– La piú bella di tutte non poteva andare in mano a uno che non la può nemmeno vedere. Quando ho saputo che ti avevano fidanzata con il cieco, subito ti ho fatto venire a salvare.

Le sue mani raggiungono l'orlo della gonna, sfiorano le ginocchia. – Una principessa in mezzo ai porcari, – dice, e riprende a baciarmi l'incavo delle caviglie e i polpacci. Mi afferra per i fianchi e mi trascina con la forza delle braccia, cosí che perdo la presa e scivolo accanto a lui, babbaluci senza guscio. Il suo viso si avvicina al mio, l'aroma dolciastro del gelsomino mi raggiunge.

– Se mi lasci andare, non lo dico a nessuno. Me ne torno a casa zitta zitta, – sussurro.

– Tu, quando esci da qua, sei già mia moglie. Per fortuna tua, – sorride, – e pure mia.

Resto sdraiata sul letto, avvolta ancora nello scialle di mia madre. Non mi muovo. Una lama della luce fredda dell'alba entra dallo spioncino in alto. Lui ha il volto sudato, la camicia bianca sbottonata sul petto, i ricci tirati all'indietro, gli occhi socchiusi. Mi blocca le mani sul materasso e avvicina il volto al mio, mi investe l'odore della sua pelle e giro il viso dall'altra parte.

Se i morti ti trovano sveglia ti tirano i piedi, diceva mia madre, ma io rimanevo stesa sotto il lenzuolo, gli occhi aperti e le orecchie tese a spiare ogni rumore. Non ho paura dei morti, dicevo. Li voglio vedere in faccia. Non mi faranno male.

Lui mi libera i polsi, mi prende il viso tra le mani e lo gira verso di sé. Chiudo gli occhi e aspetto, immobile, come se ancora mi tenesse bloccata. Si china su di me e mi appoggia le labbra sulla fronte, come un tempo mio padre prima della notte, poi le preme su un occhio, sull'altro, mi sfiora l'orecchio e le guance. Il tepore di mollica di pane arriva fino all'angolo destro della mia bocca e lí si ferma. Appoggia il mento sulla mia clavicola e i suoi capelli mi solleticano la guancia. Per un momento i nostri respiri sono allineati. Lui mormora qualcosa a voce cosí bassa che non riesco a sentire.

– Voglio tornare a casa, – dico pianissimo al suo orecchio.

Lui sussulta, come se fosse stato punto da una vespa, si stacca da me e si alza con furia. – Ancora non ti è entrato in questa testolina? – mi afferra il capo con entrambe le mani. Poi si blocca, riprende il tono gentile di prima, ma la sua voce trema di rabbia. – Tu sei fatta per stare con me, non lo capisci? Lo so da quando eri solo una bambina e ti leccavi la punta del coltello sporca di ricotta e zucchero. Lo vedi come sei? Sei tu che mi provochi, con questa faccia da madonnina pezzente mi hai fatto perdere la testa –. Si alza in piedi e inizia a camminare avanti e indietro per la stanza. – Sei venuta a quella riunione di comunisti, ti sei fermata a parlare con me in piazza, hai preso l'arancia dalle mie mani, hai ballato insieme a me alla festa del Santo patrono, te ne andavi in giro da sola di sera. Lo vedi? Tu hai voluto che ti prendessi.

Afferra la rosa dalla toeletta e se la gira tra le mani. – A casa non ti porto, mettici la croce sopra, ma per il tuo bene: che fine faresti? La fine di Angiolina, una vecchia con i capelli tinti che ha visto piú uomini che giorni nel calendario. Chi ti credi di essere? Tu mi devi dire grazie, – alza ancora la voce, – grazie, mi devi dire! – e mi getta la rosa addosso.

Chiudo gli occhi e i suoi passi si allontanano. – Ma io ho pazienza, – aggiunge prima di uscire. – Sarai tu stessa a chiamarmi. Tra qualche giorno sarai tu a implorarmi. La mela cade quando è matura.

La porta sbatte, il chiavistello scatta di nuovo e dopo un po' torna il silenzio.

41.

L'ultima volta che è entrata, Angiolina ha lasciato la caraffa con l'acqua e qualche fetta di pane stantio, poi non è tornata. Lo stomaco mi morde dalla fame, forse nessuno piú verrà. Come quando giocavamo da piccinni. Cerca trova, cerca trova: Saro contava e io scappavo a nascondermi nella bottega di don Vito. Restavo immobile, col fiato sospeso e il cuore che faceva rumore. Non so se avevo piú paura di essere scoperta, o che nessuno mi trovasse.

Santa Maria, provo a pregare, Madre purissima, Madre castissima, Madre sempre vergine. Tu l'uomo non lo hai mai conosciuto, non sai che ha forza nelle braccia, caldo nella bocca, durezza nella voce. Il rosario lo sapevo recitare nel salotto delle Scibetta, sotto gli occhi di mia madre, protetta da quelle voci che si univano nella preghiera e nella maldicenza e mi avvertivano dei pericoli del mondo. Adesso sono sola. Femminile, singolare. Questo è quello che succede alla donna quando resta isolata?

Mi alzo dal letto. Quanto tempo è passato: un giorno, due, una settimana? Il foulard di seta è abbandonato in un angolo della stanza. Mi chino per raccoglierlo, lo sfioro con le dita, è liscissimo, lo allaccio al collo e mi guardo allo specchio. È cosí che uscirò da questa casa, con il fazzoletto di Paternò al posto dello scialle di mia madre? Lo tendo rabbiosamente con le mani per lacerarlo, ma mi mancano le forze e cado riversa sul letto.

– Vieni, – bisbiglio, e trasalisco nel sentire la mia voce dopo tanto silenzio. Cammino verso la porta e inizio a battere con la poca energia che mi resta. – Torna, fammi uscire, non ce la faccio piú. È colpa mia, sono stata io, faccio quello che vuoi, apri. Ho fame, ho sete, ho paura. Non voglio stare sola.

Il rumore dei pugni risuona debolissimo tra le pareti. Forse in casa non è rimasto piú nessuno. Sono andati via tutti. Lui non mi vuole piú. Come quando da piccinna giocavo a nascondino: cerca trova, cerca trova e alla fine mi hanno lasciata qui.

Scivolo in ginocchio davanti alla porta, con l'orecchio attaccato sul legno. Tutto tace. Poi sento dei rumori, prima lontani, e in seguito via via piú vicini, una voce roca e di nuovo niente. Passa un'ora o forse due, il tempo non esiste piú.

Mi sembra a un certo punto di dormire, e nel sogno stringo tra le mani un mazzolino di fiori d'arancio. La chiesa è lunga e fredda, dalla soglia riesco a malapena a vedere un puntolino scuro in fondo, davanti all'altare, che mi aspetta. Mio padre mi porge il braccio e cosí ci incamminiamo.

«Cosa ci fai con il cappello in testa, pà, devi toglierlo, nella casa di nostro Signore», lo avverto.

«Non lo preferisco», dice lui e procediamo tra gli invitati che si voltano a guardarci. Ma a ogni passo lo sposo sembra farsi piú lontano, non riesco a distinguerne i tratti del viso.

«Chi è, – chiedo a mio padre, – a chi mi stai dando?»

«Questo puoi saperlo solo tu», risponde lui con calma.

Io non capisco. «Sei tu che mi conduci all'altare, – dico tra le lacrime, – chi vuoi che sposi, dimmelo?»

All'improvviso la navata, che sembrava infinita, si raccorcia e mi trovo faccia a faccia con l'uomo vestito di scuro.

È Franco. È bello ed elegante come il primo giorno che lo vidi, gli osservo le mani dalle dita lunghe e sottili, quelle che mi hanno preso il viso dietro il capanno degli attrezzi. Si porta la destra alla tempia e si sfila gli occhiali scuri: le iridi azzurrissime non vagano sperdute nella penombra, le pupille si dilatano e fissano il mio viso.

«Franco, – gli chiedo emozionata, – tu puoi vedermi?»

«Credevi che fossi cieco, – risponde con tono di rimprovero, – invece lo so quello che hai fatto, so che chiamavi un altro e lo imploravi di entrare in questa stanza».

Le sue parole riecheggiano nella chiesa. Io non so che cosa rispondere, gli invitati parlottano tra loro e mia madre in prima fila scuote il capo.

«Tutti ti hanno visto, Oliva, – dice Franco, – mica solo io».

Poi don Ignazio chiude il messale con un rumore di tuono che rimbomba tra le navate.

42.

Quando lui apre la porta mi trova accucciata in un angolo, i palmi delle mani graffiati per il tanto picchiare, le unghie scorticate. Non mi guarda, non parla, non sorride, mi solleva di peso e percorriamo cosí i pochi passi fino al letto, come una coppia di sposi novelli. Ho gli occhi pesanti, una stanchezza che parte dallo stomaco e si diffonde per tutte le membra, e gambe e braccia e piedi e mani e testa, ogni parte di me sprofonda nella molle arrendevolezza del materasso. Resto immobile e aspetto, come quando mia madre e Fortunata mi accompagnarono a bucare le orecchie alla vigilia della prima comunione. Non voglio, dissi, e mi ci portarono a forza.

Il suo corpo preme sul mio, lo scava come se ci si volesse ricavare una tana. Serro le palpebre, sospendo il respiro e mi ripeto le parole di mia madre mentre mi teneva la fronte in attesa dell'ago: non sentirai niente. Ma non fu cosí, e nemmeno stavolta lo è. Il dolore di allora si confonde con quello di adesso: il calore delle sue membra che gravano sulle mie e il gelo anestetizzante del ghiaccio sull'orecchio destro, l'odore pungente dell'alcol e quello del suo sudore, il turacciolo di sughero sistemato dietro il lobo e il cuscino che lui mi spinge dietro le reni per inarcarmi la schiena, le sue mani che mi stringono forte, come quelle di mia madre, l'ago di Nellina che punge la carne. Ma questa volta è impossibile urlare, girare la testa dall'altro lato e fuggire, non sono padrona di me, forse non lo sono mai stata. Le regole del corpo sono: non gesticolare, non ridere a bocca aperta, non stare alla finestra. Le ho imparate fin da piccinna e le ho sempre seguite, eppure il mio corpo non lo conosco, è per me uno straniero, mentre lui sa cosa farne e cosí lo setaccia pezzo a pezzo per cavarne fuori il suo piacere, e io lo perdo per sempre. Muta e buona, mi dico, muta e buona. Prima punge e poi passa. Invece l'ago spinge con forza e si fa strada lacerando e ferendo. Un lungo, acuto dolore mi spezza, non so dove tenermi per non andare in frantumi, cosí mi aggrappo a lui con tutta la forza che ho, perché lui è vivo e io invece sto morendo, sento il mio sangue sgorgare fuori da me, colare sulla pelle e finire sulla stoffa bianca. Poi tutti i sensi si spengono a uno a uno e non sento piú nulla.

Brava, diceva Fortunata davanti alla casa di Nellina, oggi diventi grande, ma io non lo volevo. Sono diventata donna a forza.

Quando apro gli occhi, tutto è finito. Paternò ha il fiato grosso, il volto bagnato di sudore e i riccioli scomposti. Si solleva sui gomiti senza guardarmi, poi si volta su un fianco, il suo corpo giace accanto al mio come quello di uno sposo appagato, e dopo qualche minuto sprofonda nel sonno. Quel corpo che fino a poco fa è stato paura, è stato peso, è stato violenza di muscoli forzati sui miei muscoli, è stato carne piantata nella mia carne, ora è silenzioso e indifferente, in lui non è avvenuto nessun cambiamento, nessuna ferita si è aperta. Riposa tranquillo, non ha paura di me, non teme che io possa fargli del male nell'incoscienza del sonno. Le gambe leggermente aperte, il petto che si solleva e si abbassa con flemma, ricoperto da una rada peluria scura, i piedi piccoli, quasi femminili, con il secondo dito piú lungo dell'alluce, le braccia muscolose, le dita delle mani tozze, le unghie rosicchiate, un neo largo come una lenticchia sulla clavicola sinistra.

Mi giace accanto con noncuranza, ora vanta dei diritti su di me, gli appartengo e anche lui mi apparterrà per sempre, che io lo voglia o no.

Con un sussulto improvviso il ritmo del respiro si spezza e lui si sveglia, senza rivolgermi uno sguardo si alza, cammina per la stanza in cerca dei panni, se li infila rapidamente. – Cosí doveva andare, – dice a mezza bocca, come se parlasse tra sé. Infine disserra la porta ed esce, lasciandola questa volta aperta.

Resto a fissare il soffitto e mi perdo negli arabeschi delle sue crepe, immobile come se la vita mi fosse stata sfilata da dentro le ossa. Mi sfioro l'addome con i polpastrelli ma non li sento piú miei, a toccarmi sono ancora le mani di un altro. Percorro ogni angolo della mia pelle alla ricerca di quello che è mutato per porvi rimedio, come dopo lo sfregio sul lobo, ma non c'è differenza tra il prima e il dopo, tutto sembra uguale, la frattura è dentro. Sono una brocca rotta.

Uno spasimo prima impercettibile e via via piú forte mi sale dalla bocca dello stomaco e si trasforma in nausea. Mi alzo a sedere e butto fuori un fiotto di liquido caldo. Cosí libero il corpo, ma il peso che ho dentro rimane.

Da piccinna, quando ero malata entrava mia madre e la sua presenza bastava a consolarmi di ogni dolore. Lei ora non c'è, e non posso curarmi da sola. Dormi, diceva, dormi, ripeteva, dormi che passa. Ma il sonno è la cura degli innocenti, e per me non arriva. Cosí mi alzo e cammino fino alla toeletta, verso dell'acqua nel catino, con il sapone mi sfrego la pelle, una due tre dieci volte, il tanfo di vomito sparisce, l'odore di lui invece non viene mai via, si è fuso alla carne.

Le amiche di scuola dicevano che dopo restava la macchia. Che macchia, chiedevo, e loro ridevano con le guance tra le mani. Tiro su in fretta il copriletto per nascondere le tracce del mio corpo tradito.

Esco nel corridoio e la luce mi pizzica gli occhi anche se il cielo è grigio, un tuono rimbomba vicino e mi fa sobbalzare. Allora me ne torno nella stanza, come le galline di mio padre quando trovarono aperta la gabbia, e aspetto che arrivi qualcuno. Mi accosto alla toeletta, sollevo la rosa e dalla corolla spampanata cadono gli ultimi petali, come gocce rosse sul pavimento.

43.

Non so a che ora sia tornato, ero sdraiata sul letto in un torpore privo di volontà, come mio padre dopo l'infarto, incapace di muovermi. Quando lui si infila tra le lenzuola, cerca di prendermi ancora, ma proprio in quel momento sentiamo i rumori. Apre gli scuri e si affaccia: – Muoviti, – dice. Mi caccia fuori a forza dalle lenzuola e grida: – Ce ne dobbiamo andare.

In questa casa ci sono entrata con la forza e con la forza ci esco. Mi getto lo scialle di mia madre sulle spalle, passiamo da una porta sul retro e nel buio scappiamo. Mi trascina tra le piante tenendomi per il polso, gli zoccoletti di legno mi fanno inciampare, allora lui si ferma, si volta: ha la faccia del ladro. Mi prende in braccio e riprende la fuga.

Ci raggiungono le voci dei carabinieri alle nostre spalle: – Fermo o spariamo –. Alla luce delle torce riesco a vederne le sagome: uno alto e l'altro minuto.

– Aspetta, non correre, – grido, i rami delle piante mi feriscono le braccia. – Stai zitta, – risponde con rabbia. Il piú alto solleva la pistola, ci avverte di nuovo: – Fermo! – ed esplode un colpo per aria.

Premo i palmi sulle orecchie, il mondo intorno perde i suoni. Le macchie scure dei carabinieri si muovono verso di noi. Spingo ancora piú forte, ed è come diventare sorda, mi sembra che non potrò mai piú sentire niente, invece arriva il secondo sparo, questa volta piú vicino. Lui si

ferma di scatto, allora alzo le braccia, libero le orecchie.
– Basta, – grido, – non c'è piú niente da fare!

Il carabiniere alto abbassa l'arma e avanza verso di noi. È biondo, deve essere forestiero e la legge nostra magari non la conosce. Chi mi ha rotta mi piglia, cosí mi ha insegnato mia madre.

La mia mano gli scivola dalle dita, ma lui non si ferma, continua a correre e dopo un po' sparisce tra gli alberi. Io resto sola, cado in ginocchio, mi stringo nello scialle, chiudo gli occhi e aspetto che i carabinieri mi raggiungano. Quando li riapro vedo, in fondo a tutto, un'altra figura: un uomo senza cappello che si avvicina con passo lentissimo.

Mio padre arriva davanti a me, si accovaccia sulla terra umida, si sfila la giacca e me la poggia sulle spalle. Poi mi solleva, mi prende la mano e me la stringe, appena appena.

Parte terza

44.

A nove anni ebbi la scarlattina e per tre settimane rimasi serrata nella mia stanza. Cosimino è deboluccio, diceva mia madre, e mi portava i pasti e i medicamenti con una benda sul viso che ne nascondeva naso e bocca. Il tempo sembrava fatto di blocchi solidi che all'improvviso si scioglievano in minuscole cascate. La vita di fuori potevo soltanto intuirla da dentro: la luce del giorno andava e veniva, di notte splendeva la luna sul campo di mio padre. La maestra Rosaria mi faceva portare dei libri e sul pavimento accanto al mio letto cresceva la torre di quelli via via terminati. Dopo tre settimane mi alzai guarita: la pila superava il comodino in altezza. Mi vidi riflessa nel vetro della finestra e ci trovai un'estranea: il corpo svuotato di carne, le ossa sporgenti, due cerchi scuri mi infossavano gli occhi rendendoli ancora piú neri. La prima volta che tornai a uscire, i muscoli erano deboli ma la testa era piena di storie, come le mie notti erano state riempite dalla luce della luna.

La stanza ora è scura, anche la luna ha voltato la faccia e il campo di mio padre è scomparso là fuori. Me ne sto ritirata qui come fossi di nuovo un'infetta, sento i passi e le voci sciaguattare fuori dalla porta come acqua nel gorgo, ogni tanto mi alzo dal letto e nel buio tasto gli oggetti che ho attorno, immagino di essere Franco. Apro le imposte, nessuna luce arriva. Il novilunio, ci aveva spiegato la maestra Rosaria, è quando la luna non mostra il suo volto, perché in quel momento è congiunta col sole, che è come un uomo geloso e la vuole soltanto per sé. Io sono uguale a lei, adesso: opaca e lontana.

Mi fermo davanti allo scaffale e sfioro il dorso dei libri, a uno a uno, ma nessuna di quelle storie parla piú di me. Tutte le mie insegnanti hanno mentito: le tabelline sono un imbroglio, il trapassato remoto è una menzogna, la forma attiva passiva e riflessiva, «su qui e su qua l'accento non va», il complemento di termine, le Idi di marzo e il «marmaluòt», «spero-promitto-iuro vogliono l'infinito futuro», i nomi delle Alpi «ma-con-gran-pena-le-re-ca-giú»: tutto è una bugia e io sola, con gran pena, precipito. Anche l'oscurità mi diventa insopportabile come una benda sugli occhi, cosí cerco l'interruttore a tentoni. Mi avvicino ai ripiani, apro un libro ma non riesco a comprendere quello che leggo, le righe allineate l'una sull'altra sono lunghi animali neri che strisciano sulla pagina, le frasi non hanno piú legami tra loro e le parole si svuotano di significato come contenitori bucati. Non è vero che la cultura ci salva, maestra, io ho sempre studiato e non è servito a niente. Allungo il braccio e con furia spazzo via tutto quello che trovo: i soprammobili dalle scansie, le penne e i quaderni dalla scrivania, i libri dagli scaffali. Calpesto nel buio le cose che mi erano care.

I libri giacciono squadernati ai miei piedi in posizioni innaturali, come corpi dagli arti fratturati, il cartone delle copertine si è staccato dal dorso e le pagine, rimaste scoperte, mettono a nudo le bugie che raccontano: le Piccole donne non cresceranno mai, Dorothy non è stata nel regno di Oz, Pollyanna ha smarrito il segreto della felicità, Alice non ha trovato la pozione per rimpicciolire e Lucia Mondella, proprio come me, non si è salvata facendo voto alla Vergine.

Mi lascio cadere sulle ginocchia e mi sdraio su quel giaciglio di carte: sonno non ho, fame nemmeno. Il mio corpo non serve piú a niente. Al matrimonio oramai non sono buona, a dire il rosario nel cerchio delle donne neppure, e tantomeno al ricamo: chi lo vorrebbe un corredo macchiato di vergogna?

Non riesco a star ferma, cosí mi accovaccio accanto all'asse mobile, la stacco, vi caccio le mani dentro e ne porto fuori i segreti: i quaderni con i disegni fatti a carboncino e a sanguigna, lo specchio, il residuo di rossetto e la foto che mi scattò Liliana. Accatasto ogni cosa nel mucchio di quelle da buttar via, trattengo solo il ritratto, lo osservo a lungo, seguo con l'indice i lineamenti del mio viso, mi rifletto in quegli occhi che ancora non conoscevano la vergogna. Lo strappo in due parti, e poi in due, e poi in due, e poi in due, fino a che i pezzi non si riducono a briciole di carta satinata. Le raduno in un mucchio e le raccolgo con le mani a coppa, apro la finestra e le disperdo nel campo di mio padre.

45.

Mia madre entra ed esce dalla stanza con gli occhi segnati di nero, ogni volta apre la bocca ma poi non fa parola, come se avesse in viso una maschera per non infettarsi. Guardami, mamma, vorrei dirle, sono sempre la stessa brocca: stesse mani, stessi fianchi, stesse labbra, niente ho fatto per finire in frantumi. Ho seguito tutte le tue regole: non ho guardato l'uomo, non ho tirato il fiato per impettirmi, non ho messo il rossetto, non ho rallentato il passo fuori dalla chiesa per lasciarmi seguire, non sono entrata di nascosto al cinematografo. Avrei sposato il marito che avevi scelto per me. Mai ho disobbedito, ho detto di sí sempre. Sono tua figlia: una sconosciuta che ti somiglia e che forse non ti piace.

A ogni fruscio di foglie, lei corre alla finestra per spiare se qualcuno arriva, conta i giorni e aspetta, ma il primo non viene nessuno e cosí il secondo, il terzo e il quarto. La donna bionda di nome Angiolina disse che finiva in matrimonio e cosí mi sono messa anche io ad attendere i passi del mio carceriere che mi viene a liberare. Non so se è meglio avere qualcosa o non avere niente.

Trascorro i miei giorni a svuotare la stanza di tutti gli oggetti, con lo straccio imbevuto di aceto strofino il pavimento, le superfici dei mobili, le maniglie di porta e finestra. Quando tutto è pulito, mi avvicino alla pila dei libri ammucchiati per terra. – Ti avevo detto di darli via, fanno solo sporcizia e polvere, – grido a mia madre attraverso la porta chiusa, ma è tardi, gli altri sono a dormire, solo a me il sonno è nemico. Cosí mi sdraio sul letto e sfoglio le prime pagine di *Anna dai capelli rossi*: «Non si può mai sapere quello che accadrà durante il resto della giornata e c'è tanto spazio per la fantasia». Io non ho piú spazio per la fantasia, chiudo il romanzo, lo infilo sotto al cuscino e finalmente una stanchezza invincibile si srotola per tutte le membra e mi assopisce i pensieri.

Angiolina entra nella stanza che mi tiene prigioniera, apre le imposte e la luce della luna allaga il pavimento. Spegne la sigaretta, mi sistema lo scialle di mia madre sulle spalle e fa una risata roca simile alla sua. «Che ci fai qua dentro? – mi chiede. – Tornatene a casa!» «Non posso», rispondo, e indico la porta. «Ma è aperta, – dice, – è sempre stata aperta. Sei tu che hai voluto restarci, nessuno ti ha obbligata. Bastava girare la maniglia». Scatto in piedi, la allontano con una spinta, Angiolina cade a terra ma seguita a ridere in quel modo sgradevole, mi precipito in strada. Corro a piedi nudi, con i capelli spettinati, con il sudore che dalle tempie mi cola sul collo, con la gonna che si arriccia sulle gambe, con le braccia che mulinano ai lati dei fianchi. Corro a scattafiato fino a prendere la strada per il paese, mi fermo solo quando arrivo alla piazza e mi trovo davanti alla pasticceria. Osservo il mio riflesso nella vetrina: una bambina scarmigliata e ossuta dagli occhi neri come olive che fissa bramosa le creme dei dolci.

46.

Mi sveglio di soprassalto per la fame, non ne ho piú sentita dal giorno del rapimento. Immobile sul letto sfioro le ossa del bacino: premono contro la pelle, affilate come punteruoli. Un bruciore sale dalla bocca dello stomaco e mi lascia stordita: il mio corpo è vivo ancora, e dice che ha fame. Mi precipito in cucina, gelosa del sonno degli altri. Dalle finestre, il buio: la luna è ancora nascosta. Soffocando ogni rumore apro la dispensa, spalanco la credenza, i pensili, e afferro tutto quello che trovo. Riempio la bocca con la pasta avanzata dal pranzo che non avevo toccato, mordo le uova sode conservate per cena, il pane raffermo di ieri mi gratta il palato. Impasto la lingua con un pezzo di formaggio, poi addento una mela vizza. Il cibo scivola nella gola e mi ingorga l'esofago. Svito il barattolo con i capperi e ci infilo le dita, i granelli ruvidi di sale mi sfregano la pelle, scoperchio il vasetto con le olive, me le faccio rotolare nella mano: sono piccole e dure, come me. Devo colmare il mio corpo per poterlo sentire di nuovo. Il bricco con la marmellata di arance per la colazione della domenica è sul ripiano piú alto. Mi inerpico su una sedia e lo afferro, mi lascio colare il contenuto attaccaticcio sulla pelle delle braccia, sollevo la stoffa della camicia da notte e lo spalmo sulle gambe, risalgo fino alla piega dell'inguine, mi lecco le dita e ricomincio a inghiottire, fino alla nausea. Poi la sedia traballa, si inclina e precipito al suolo.

Subito sento il rumore dei passi, mia madre compare in cucina e mi guarda con occhi di pena. – Oliva, – dice. Si accascia sul pavimento e si sporca la camicia da notte con i residui di cibo. – Olí, – ripete a voce bassissima come se parlasse a sé stessa. Mi viene vicina, solleva un braccio, io chiudo gli occhi e aspetto lo schiaffo. Invece le sue mani mi premono il viso, scendono sul collo, sulle spalle, mi avvolgono la schiena e mi tengono forte. Restiamo abbracciate per terra, le guance attaccate, vischiose di confettura alle arance.

Quando ci alziamo, la casa è ancora in silenzio. Lei mi conduce nel bagno e riempie il lavatoio, come quando io e Cosimino eravamo piccinni e insieme ci lasciava a mollo a giocare. Con la punta del gomito saggia la temperatura, mi sfila la camicia macchiata di cibo e resto nuda di fronte a lei e non sento vergogna. Mi fa sistemare nella vasca, si sfrega la pietra di sapone tra le mani, me le passa su tutto il corpo e risciacqua. Sfila il tappo e ci incantiamo a osservare la spirale opalina dell'acqua inghiottita dal tubo di scarico. Mi offre il braccio per sollevarmi, estrae dalla panca l'asciugamani lindo, mi friziona i capelli, elimina le gocce d'acqua da ogni angolo della pelle e quando arriva ai piedi infila la stoffa porosa tra dito e dito. – Ecco qua, – mormora mentre mi allaccia i bottoni della camicetta, – sei tutta pulita.

47.

Prima di pranzo bussano all'uscio, mia madre e mio padre si guardano, poi lei va ad aprire. Nellina saluta e si chiudono in cucina a parlare, le voci arrivano fioche, ogni tanto rumore di sedie che strusciano sul pavimento. Dal corridoio alle mie spalle arriva Cosimino: non ha piú fatto la barba dal giorno del nostro compleanno e ha preso l'aspetto di brigante. Entrambi facciamo aderire la tempia al legno dello stipite per sentire qualcosa e ci ritroviamo vicinissimi, come eravamo nella pancia di nostra madre. Il suo respiro mi arriva sui capelli, riconosco l'odore, che non è mai cambiato da quando eravamo piccinni ed ero io a badare a lui se restavamo da soli per casa. Ora che siamo cresciuti mi sovrasta di tutta la testa, appoggio le spalle al suo torace, lui non si ritrae e a poco a poco lascio che il mio peso si scarichi su di lui.

– Domani? – dice mia madre.

– Prima di pranzo, – conferma Nellina. – Alla pasticceria.

– Io non lo preferisco, – la voce di mio padre è la piú bassa.

– Preferisci o non preferisci, non ci stanno altri santi, – risponde mia madre.

– A quel malacarne, la dobbiamo dare? – prova a ribattere lui.

– Tu dove ce li hai i piedi, per terra o sopra le nuvole? –

grida lei, e il palmo batte sul legno del tavolo. – Mondo era e mondo è.

– Bisogna trovare l'accordo, Salvo, – conferma la perpetua. – Anche don Ignazio lo dice.

– Nellina, ricordami un poco: don Ignazio quante figlie ha? – chiede mio padre.

Nellina non risponde, ma mia madre tuona ancora: – Tu venisti al mondo per la disgrazia mia!

– Quietati, Amalia, – risponde lui con calma. – Era per dire che in certe cose ci può mettere bocca chi le conosce.

– È inutile ragionare con te: nottata persa e figlia femmina! Nellina è l'unica che ci ha dato aiuto in tutti questi anni, e questo è per ringraziarla?

– Salvo, – è la voce di Nellina, – se c'era altro rimedio per la ragazza... ma tutto quello che si poteva fare si è fatto. La madre di Franco, dopo che è successa la cosa, ha ritirato il consenso, e chi può darle torto? Ora, per il bene della tua famiglia, per il tuo bene... Mica ti vuoi fare giustizia da solo, dopo quello che hai avuto lo scorso anno? Ti vuoi far venire un malanno?

Cosimino sussulta, magari anche a lui è ritornata in mente la notte in cui credevamo che fosse andato a dare colpi di lupara, quando l'infarto stava per portarselo via.

– Giustizia? – dice mio padre, la voce molto bassa. – Giustizia è un'altra cosa.

Da quel momento nessuno grida piú e al nostro orecchio arriva solo qualche parola. Nozze, vestito, casa... Cosimino e io ci stacchiamo dalla porta, lui mi afferra per il polso e mi guarda fisso negli occhi. – Ci vado io da quello a spiegargli il mondo, – dice con la voce da uomo che gli è venuta da qualche mese a questa parte.

Volto la testa da un lato e dall'altro. – No, Cosimino. Né tu, né papà. È cosa mia, cosa da femmina.

Ci andiamo a coricare senza dire una parola. Quando mi sveglio, nella notte ancora fonda, mi sembra di vedere la sagoma di mia madre nell'arco della porta, che mi guarda appoggiata allo stipite. Ma subito gli occhi si fanno pesanti e l'immagine scompare.

48.

Fuori è ancora scuro ma in cucina c'è già mio padre, con gli stivali di gomma e il cappello. – Dove l'hai preso? – chiedo.

– Me lo sono comprato nuovo.

– Una figlia nuova ti dovevi comprare.

Siede su un angolo della panca, se lo toglie dalla testa e lo gira tra le mani per osservarlo da ogni lato. – L'incontro è per oggi, – parla lentamente, come fosse cosa di poco conto. – Vogliono fare la paciata.

Aveva ragione Angiolina: lui mi ha presa e lui mi deve sposare. Altrimenti finisco o zitella o bionda fasulla, come lei.

Mi volto verso mio padre: nella sua faccia non c'è rabbia.

– Che pace c'è da fare? – chiedo stringendomi nella vestaglia.

– Devi decidere tu, – risponde.

– Tu mi vuoi dare a quello?

Le sue mani hanno un tremito e il cappello nuovo cade a terra. Mi accosto a lui, lo sollevo e glielo poggio sulle ginocchia. Mio padre abbassa il capo e incurva le spalle come se gli avessi caricato un peso.

– Io la lupara non la so usare, Olí, sporca le mani e a me le mani piace averle nette. Il sangue è una catena che non si spezza.

Le poche volte che parla, mio padre va per indovinelli, non detta le regole come mia madre.

– Tu sai che sono rimasto orfano a sedici anni: tuo nonno partí una mattina con la barca e non tornò piú e tua nonna se ne andò nemmeno un anno dopo per la debolezza di cuore, – riprende lui. – Siamo cresciuti da soli, io e mio fratello piú piccolo. Nitto si sposò giovane con la ragazza piú bella del paese, ma già dopo pochi mesi qualcuno gli andò a mettere nell'orecchio che la sposa era disonesta. E batti oggi e batti domani, gli bollí il sangue, ci fu un litigio e le ferí la faccia. Lei se ne tornò a casa e il giorno dopo ci mandò il fratello. Coltello per coltello, Nitto finí nel sangue. Padre non ne avevamo piú e la questione dell'onore arrivò in mano mia, cosí andai a cercare quello che mi aveva ammazzato il fratello.

Per un momento mio padre ritorna il dio greco che arrivava dalla campagna baciato dal sole, come quando ero piccinna.

– Per la strada mi fermò Pippo Vitale, un amico di infanzia che si era fatto carabiniere, – racconta ancora. – Si prese l'arma e mi tenne due notti a dormire al fresco. Quando mi fece uscire mi mise di nuovo la doppietta in mano e disse: «Questa è tua, la vuoi ancora?» «Non lo preferisco», gli risposi. Io andavo ad ammazzare il fratello e poi il padre veniva ad ammazzare me, e via via a non finire mai. Devo ringraziare Pippo Vitale, se oggi posso mettermi il cappello sulla testa, ché stando due metri sotto terra viene difficile, – conclude, e tende le labbra a imitare un sorriso.

Mi volto verso la finestra a guardare la strada ancora deserta. Faremo la paciata, andrò sposa con quello, la gente mi saluterà in strada. E dopo, che farò? Tornerò a ricopiare le immagini delle divinità del cinema? Le nuvole avranno ancora la forma del marfoglio? Sarà ancora bello sfogliare le margherite?

– Che fine fece l'amico tuo carabiniere?

– Al comando sta sempre.

Ti deve sposare per forza, diceva Angelina, altrimenti se ne va dritto in galera.

– Andiamo a fare i babbaluci, prima che schiara il giorno? – propone.

– Mamma non vuole, non sono piú piccinna.

– Per me sempre resti.

Mi preparo in fretta, lui si calca il cappello sulla testa e usciamo nella prima luce.

49.

Coi secchi pieni torniamo dal campo. Cosimino si è tolto la barba, ha lasciato soltanto i baffetti, secondo la moda dei giovani di oggi. Mamma ci vede arrivare e accende la fiamma sotto un pentolino, ha le ciocche dei capelli arrotolate intorno a scampoli di stoffa, per ottenere i ricci.

– Un poco di colazione? – ci chiede. Ci sediamo a tavola, mio padre spezza la crosta, la separa dalla mollica e la lascia cadere nella ciotola con il latte, infine cosparge di caffè e ci versa lo zucchero. Ripeto i suoi gesti, porto il cucchiaio alla bocca e sento crocchiare tra i denti i granelli di zucchero. Consumiamo quel cibo in silenzio, poi ognuno si ritira nella sua stanza per indossare gli abiti buoni: i nostri movimenti sono accordati secondo una nascosta armonia. Ogni cosa è decisa e si muove da sé.

Trovo abbinate sul letto la gonna gialla e la camicetta a fiori, sono disposte l'una sopra all'altra come a formare una ragazza invisibile, il fantasma di me. Appoggio la gonna sui fianchi, mi guardo inclinando la testa, poi apro l'armadio e la rimetto via: è per i giorni di festa, cosí diceva mamma. Appeso a una gruccia di ferro c'è ancora il grembiule nero, carezzo la stoffa ruvida e mi torna alla mente il maestro Scialò, quando con voce piatta ci dettava la poesia: «Sii docile, obbediente: | solo cosí la gente | avrà di te piú stima». Chiudo le ante e resto nei miei panni da lavoro. Non voglio sembrare piú bella, non voglio seguire consigli, non voglio obbedire a nessuno piú. A che è valso? Al posto delle tabelline e dei verbi irregolari avrebbero dovuto insegnarci a dire di no, tanto il sí le femmine lo imparano alla nascita.

Quando torno in cucina, mamma mi esamina e scuote la testa. – Le scarpe, – mi avverte. Sfilo gli zoccoli e metto quelle con un po' di tacchetto. Mio padre e Cosimino portano l'abito della domenica. A parte i baffetti, mi sembrano uguali, in un solo giorno sono diventati la stessa persona. Ci muoviamo per casa coi piedi leggeri, scambiandoci poche parole cortesi, come fossimo estranei. Eppure, mi sembra, non siamo mai stati piú uniti.

– Andiamo, – ci dice mio padre. Usciamo di casa e avanziamo lungo lo sterrato. Le nuvole della notte si sono disperse, ora il sole è una scure che cala sul collo. Salendo verso la piazza ci teniamo a braccetto: io e Cosimino nel mezzo, lui e mamma ai due lati. I suoi capelli arricciati sono una nera corona di pece, mio padre stilla sudore nel colletto rigido della camicia. Arrivati all'incrocio dove l'auto mi aspettava quel giorno, mi appoggio a Cosimino e voltiamo sullo stradone. Sfiliamo come pupi tirati dai fili sotto gli sguardi del pubblico curioso. Qualcuno si affaccia al balcone, qualcuno commenta. Quando passiamo davanti alla chiesa, don Ignazio si sporge dal portone e abbassa un po' il capo.

Dal primo piano di un palazzo elegante si aprono appena gli scuri e ne spunta una mano seguita da un braccio, da un viso e infine dal busto. Due occhi infossati compaiono nel quadrato della finestra e mi seguono per tutta la via. Fortunata fa un cenno con la mano, poi sparisce di nuovo dietro le imposte. Anch'io finirò come lei, ingoiata tra quattro mura. Le regole dell'obbedienza sono: segui la strada, mostrati docile e annuisci col capo.

Ho ancora lo sguardo per aria quando sento il terreno mancare sotto i piedi, le ginocchia si piegano e mi accascio sul selciato. Non è debolezza, sono le scarpe: un tacco si è rotto. Mi aggrappo al braccio di mio padre per risollevarmi, mentre mamma mi spolvera la veste. Raccolgo il tacco spezzato e proseguo zoppicando, una gamba piú lunga e una piú corta. La mia andatura si accorda con quella di Saro, alzo gli occhi, ma nuvole buffe nel cielo non ce ne sono. Passiamo davanti alla caserma dei carabinieri e ce la lasciamo sulla sinistra. La scarpa senza tacco mi crea fastidio, e l'altra mi duole. In fondo alla piazza c'è la pasticceria, tra pochi metri mi consegneranno, il fastidio si fa sempre piú forte. Davanti alla vetrina lui è in piedi che aspetta, l'abito bianco e il ciuffo di gelsomini dietro l'orecchio, ricordo il profumo dolciastro, la stanza chiusa a chiave, il letto sfatto, i capelli stinti di Angiolina impregnati di fumo. O ti sposa o se lo portano i carabinieri, rideva. Lui fa un passo, solleva un braccio e si liscia i capelli, ormai è cosa fatta. Mi volto verso mio padre, non riesco a leggere sul suo viso nessuna risposta: esausta, mi fermo.

– Io non posso andare avanti, – dico, e mi sfilo le scarpe. Un'ondata di sollievo dalla pianta del piede si diffonde per tutto il corpo. Guardo Paternò dritto in faccia, poi giro su me stessa e riprendo a camminare, scalza, in direzione contraria.

50.

– Il maresciallo Vitale è impegnato, ci sta da attendere un poco, – avverte un carabiniere giovane con i baffetti come mio fratello.

La sala d'aspetto del commissariato è scura e sa di umido. Cosimino è rimasto nella piazza a fissare la vetrata della pasticceria, noi tre sediamo su una panca di legno. Mamma si volta a guardare mio padre e poi me per chiedere che cosa sta succedendo, ma nessuno di noi dice nulla. Nel vestito della domenica e con i capelli messi in piega sembra lei la sposina promessa. Io invece sono invecchiata di cento anni. Un momento prima camminavo verso di lui e un attimo dopo entravo nella caserma, sotto gli occhi di tutti. È stato il sole a picco, è stata una botta di calore, è stato il tacco rotto, non lo so. Il fastidio era tale che non sarei stata capace di fare piú nemmeno un passo per quella strada, perciò mi sono fermata.

Mio padre si alza, dice sottovoce due parole all'appuntato e si avvia per il corridoio.

– Possiamo andare, adesso, Olí, ti sei riposata? – sussurra mia madre fissandomi i piedi scalzi. La sua voce è metà rimprovero e metà gentilezza, come se i miei fossero capricci di bambina.

Da piccinne ci trascinava alla prima messa, me e Fortunata. Cosimino restava a dormire perché era deboluccio. «Santa Rita ti ha liberata dalla scarlattina», diceva mentre ci tirava fuori dal letto e ci infilava le maglie pesanti. Uscivamo di casa che era ancora scuro, io e Fortunata ci tenevamo strette per parare meglio il vento. «Ho fame», mi lamentavo per ritardare il momento dell'uscita. «Vi do la torta salata lungo la strada», ci lusingava lei. Durante il cammino, ogni volta che mi impuntavo, lei me ne porgeva un bocconcino e io seguitavo a marciare. «Brava, – diceva. – Brava la mia bambina». E cosí fino al portone della chiesa.

Seduta in punta alla panca di legno, mamma mi sfiora una mano e io chiudo il pugno. – E dopo, che cosa farai, Olí, ci hai pensato?

Una briciola di torta salata ancora, fino al portone della chiesa, da brava bambina, e io avanzavo. La navata era fredda, le vecchie della parrocchia effondevano odore di naftalina e io cadevo dal sonno. Ma ero stata obbediente, cosí diceva mia madre, e il premio era il suo amore.

– Resterò brocca rotta, mà, – le sussurro all'orecchio. – Non c'è rimedio.

Apro le dita e mostro i segni delle spine al centro del palmo, il giorno che mi presero. Lei li sfiora con l'indice e stringe le palpebre per non vedere.

– Potete entrare, – ci sorride il carabiniere con i baffetti. Mio padre è accanto a lui e ci fa un cenno con la mano. Seguiamo il giovane lungo il corridoio e per una rampa di scale che porta al primo piano. – Avanti, – ci risponde una voce dall'interno quando lui bussa alla porta.

Il maresciallo Vitale è dietro la scrivania, si alza, inclina un po' il capo e questo è il suo saluto. Ci sediamo io e mia madre, mio padre resta in piedi dietro di me.

– Un giovinotto troppo ardito le ha mancato di rispetto, ho saputo, – e abbassa gli occhi su una cartellina piena di fogli: il mio caso non è importante come quel suo incartamento, ci fa capire.

Mio padre mi posa una mano sulla spalla. – Pippo, – incomincia, poi si corregge. – Maresciallo Vitale, si trattò di rapimento...

– Rapimento a scopo di matrimonio, mi dicono che quel signore si è dimostrato disponibile a... riparare.

Mi sfioro i solchi nel palmo della mano e scuoto la testa. Le dita di mio padre aumentano la pressione sulla mia spalla, entrambi restiamo in silenzio.

– La signorina è maggiorenne? – chiede Vitale continuando a studiare i fogli che ha davanti.

– Ne ha fatti sedici pochi giorni fa... – risponde mia madre, le si smarriscono le parole in bocca ripensando alla sera del mio compleanno.

– Allora parlo con voi genitori, – dice, e chiude bruscamente la cartellina. – Non lo vuole piú sposare? – domanda come se fosse un litigio tra innamorati.

– Maresciallo, – mio padre si schiarisce la voce, – mia figlia Oliva non ebbe mai intenzione di prendere quell'individuo. Non ci fu accordo tra le famiglie e nemmeno una proposta regolare. Fu lui a mettersi sulla nostra strada e di fronte all'indifferenza che ne ricavò decise di reagire con la forza, prima danneggiandomi la roba e poi la figlia.

Vitale si sfila gli occhiali e si strofina il viso. – Che cosa pensi di fare, Salvo? – dice. Mi sembra di vederlo il maresciallo da giovane, come l'ho immaginato nel racconto, quando gli tolse di mano la lupara e lo mise in guardina.

Mio padre si torce il cappello tra le mani. – Preferirei... – si blocca a metà della frase.

Vitale si alza e lentamente fa il giro della stanza. Si avvicina di nuovo alla scrivania e afferra il pacchetto delle sigarette.

– Mia figlia è venuta qui per avere giustizia, – continua mio padre, sempre fermo alle mie spalle.

Il maresciallo si cava l'accendino dalla tasca e lo soppesa in mano. – Giustizia è parola scivolosa, – dice. La fiamma trema al getto del ventilatore. – Ci sta la giustizia della legge e la giustizia degli uomini, che non sono propriamente l'identica cosa –. Aspira una boccata. – Questo è il tuo paese, Salvo, questa è la tua famiglia, questa è tua figlia: ci devi pensare tu a lei. Quando uscirete da questa stanza sarà lei a camminare per la via e a sentirsi dire cose a fil di voce...

– Io non sono una svergognata, – mi sporgo in avanti sulla sedia, stringendo ancora il tacco rotto, e la mano di mio padre mi scivola dalla spalla. Il maresciallo contrae le sopracciglia e prende un'altra boccata di fumo. Mi sembra di averle gridate, quelle parole, ma è come se lui non le avesse neppure sentite.

– La ragazza è tanto giovane, magari è in confusione, – continua senza guardarmi. – A quest'età vogliono una cosa, ne vogliono un'altra... È il padre che la deve guidare verso la ragione. Salvo, tu hai una bella figliola e la vuoi condannare all'infelicità?

– Già ne condannai una, – risponde lui.

La sigaretta si è trasformata in un cilindretto di cenere che si mantiene in equilibrio sul mozzicone, Vitale la poggia sulla scrivania e resta a osservarla come se fosse una scommessa che ha vinto con sé stesso.

– Quella di Paternò non è famiglia di poco conto, ha conoscenze influenti. Come ci fu lo strappo cosí ci sarà la paciata. Che discorsi stiamo a fare?

– Ma la legge... – dico poggiando le mani sulla scrivania e faccio crollare la colonna di cenere sul bordo del ripiano.

– La legge è per chi ha denari, – mi interrompe il maresciallo mentre con la mano a conchiglia raccoglie la cenere e la getta nel cestino. – Volete sporgere denuncia? Benissimo, chiamiamo l'appuntato e facciamo scrivere: Salvo e Amalia Denaro si costituiscono parte civile contro Paternò Giuseppe accusandolo di ratto a scopo di libidine...

Mia madre incurva la schiena, come se fosse stata colpita in un fianco. – Ci sarà il processo, – continua Vitale, – ci vorrà un avvocato, bisognerà dimostrare la colpevolezza dell'imputato non solo a parole, ma con i fatti.

Siede di fronte a noi e per la prima volta mi guarda. – La signorina dovrà provare che non è piú fisicamente integra come lo era prima, e anche di non essere stata consenziente alla fuitína, come è spesso consuetudine da noi. È stata mai vista parlare con il Paternò? Ci ha ballato magari in piazza, di fronte a tutti? Ha accettato doni? Serenate? Quando fu presa camminava da sola o in compagnia? Era al mattino o all'imbrunire?

Chiudo gli occhi, la rabbia mi schiaccia lo stomaco. Il processo lo devono fare a me, non a lui, cosí capisco.

Vitale arriccia il naso e socchiude gli occhi, infastidito come se una mosca gli si fosse posata in viso. – Se fosse figlia mia, Salvo, lo sai che cosa farei? – conclude. – Non farei proprio niente.

Il tacco rotto mi scivola di mano e batte a terra.

– Il rancore passa, le cose si accomodano, – scandisce, poi da un angolo della scrivania prende un librone dalla copertina in pelle blu, lo sfoglia e lo squaderna davanti a mio padre.

– Articolo 544 del Codice penale, – si sporge sul tavolo per leggere, – «per i delitti preveduti dal capo primo e dall'articolo 530, il matrimonio, che l'autore del reato contragga con la persona offesa, estingue il reato, anche riguardo a coloro che sono concorsi nel reato medesimo; e, se vi è stata condanna, ne cessano l'esecuzione e gli effetti penali».

– E che ci viene a dire? Parla semplice, Pippo, – chiede mio padre.

– Viene a dire: dopo il matrimonio, reato estinto per la legge, onore riparato per la ragazza, – e richiude il volume con molta piú energia del necessario.

– Ed è giustizia, questa? – domanda mio padre, come se fosse davvero curioso. Mia madre gli poggia una mano sul braccio, è sempre stata lei a parlare per tutta la famiglia e nel silenzio non ci si ritrova.

– È legge, – risponde secco Vitale.

– La legge fu fatta per salvare i malacarne e condannare le brave figliole? Se è cosí, allora va modificata.

– La vuoi cambiare tu questa mattina, Salvo? Ti sei svegliato presto appositamente? – sorride, ma subito torna serio. – Se vuoi fare il processo a Paternò, devi farlo prima al Codice penale, – e picchia con le nocche sul librone.

Mio padre abbassa gli occhi sulla copertina blu e si gratta la testa, come davanti a qualcosa di incomprensibile.

– E poi la regola, se vedi bene, – continua il maresciallo accendendosi un'altra sigaretta, – fu fatta per difenderle, le giovani oneste, per garantirci le nozze e non farle abbandonare da chi si era voluto approfittare di loro per lasciarle a mani vuote. D'altra parte, lo sai meglio di me come funziona: i giovani che non vogliono sottostare alle imposizioni dei genitori si sposano proprio con la fuitína.

Mia madre gira gli occhi verso la finestra e si porta una mano alla gola, magari sta pensando a quel suo viaggio in nave con lo stomaco in disordine.

– Capita che le famiglie non hanno soldi per la cerimonia e il banchetto, allora si organizza il finto rapimento. E se lo sposo, avendo ottenuto quello che voleva, cambia idea? Che cosa succede alla brava figliola, come dici tu? Resta sola e disonorata, senza che nessuno se ne faccia carico, senza piú possibilità di trovare una sistemazione? Allora, la legge obbliga l'uomo a prendersi la sua responsabilità, a tenere fede all'impegno preso.

– Ma Pippo, ti spiegavo prima proprio questo: che qui non ci fu nessun accordo, – continua mio padre.

Vitale resta in silenzio per qualche minuto. Si sente solo il respiro di mia madre, come se fosse affannata dopo aver corso.

– Salvo, ci credo. Anzi, sono convinto. Io pure ho una figlia, solo di qualche anno piú piccola, e posso dirti le stesse cose che direi a lei. Le mie sono parole da padre di famiglia e da amico, non da uomo in divisa. Cosí è sempre stato tra noi due, questo lo sai –. Mio padre si liscia il mento e sospira. – E proprio per questo voglio provare a mettermi nei panni tuoi, permetti? – E aspira una boccata di fumo. – Immaginiamoci che riuscirai a pagare l'avvocato, con tutto che ti hanno rovinato il campo e anche le bestie. Che sopporterai le maleforbici, perché lo sappiamo che il vero movente dell'onore è la gente che ci guarda. Che terrai tua figlia ritirata in casa fino al giorno del processo, e ci può passare anche un anno. Dopodiché si verrà in tribunale, la ragazza dovrà raccontare davanti a tutti quello che ci fu, in ogni particolare. L'avvocato della controparte metterà il tarlo al giudice che lei era d'accordo, che anzi aveva già avuto degli incontri con lui in intimità, capiscimi, che non fu atto di violenza ma di troppo amore. Lo sai come va a finire questa storia? La barca è di chi la cavalca, – conclude schiacciando l'ennesima sigaretta nel posacenere, il cilindretto non gli è riuscito, questa volta, perché troppo ha agitato le mani nella discussione.

– Tornatevene a casa, aspettate –. Vitale si alza e si avvicina alla porta, poi si rivolge a me: – Tuo padre aveva pochi anni piú di te quando stava per fare l'errore piú grande della vita sua. Gli dissi queste parole: fai passare il tempo, non ti precipitare. Lo stesso consiglio voglio dare anche a te: torna a casa e fai riposare i pensieri. Avete tante idee nella testa, voi ragazzi: l'amore, il batticuore, la vita romantica. Il matrimonio lo sai che cosa è? È un contratto, una società di interessi. Lui ti mantiene e tu gli resti fedele e gli fai da guida, a lui e ai figli. Dopo i confetti ciascuno fa la vita sua. È tanto se vi vedrete a pranzo e a cena. La moglie è una donna che ha occupato il suo posto nella società, dopo è piú libera. Eventualmente, se Domineddio le fa la concessione di lasciarla vedova prima del tempo, può disporre di sé come le pare e piace. E poi, che cos'è per una donna una vita in solitudine, senza l'abbraccio di un uomo? La carne vuole essere riscaldata. Non lo dico io, lo dice la natura. Le leggi si fanno e si disfano, la natura resta sempre la medesima.

Quando usciamo dal comando, il sole ci cala nuovamente sulla testa, piú pesante di prima. Cosimino se ne è andato e noi tre non camminiamo piú a braccetto, ma ognuno va con il suo passo e con i suoi pensieri. È perché sono nata femmina, mi dico. Vent'anni fa il maresciallo Vitale consigliò a mio padre di rompere la tradizione e di denunciare l'assassino di suo fratello anziché finirlo a colpi di lupara, invece a me questa mattina dice di tornarmene a casa e prendermi l'uomo che mi ha fatto abuso.

Mio padre si è riconsegnato al silenzio. Mia madre cammina a testa bassa, ogni tanto la sento ripetere a mezza voce: mondo era e mondo è. Ha ragione lei.

51.

Ho la testa in fiamme e, quando entriamo, la penombra della casa è un'oasi di freschezza. Mi metto a letto, mamma siede sulla poltrona accanto a me e prepara stracci freddi da poggiare sulla fronte, cosí finalmente mi lascio sommergere dalla febbre che sale e mi sprofonda in una dolce amnesia.

Qualcuno bussa alla porta. – Non aprire a nessuno, Salvo. Sono venuti a vedere la commedia a casa nostra, – ruggisce lei.

La sento aggirarsi intorno a me come la femmina di un predatore davanti alla tana dei cuccioli. – Il prete, il carabiniere, la sensale... ognuno vuole dire la sua. Fai bene tu, – dice a mio padre, – che non dài mai fiato alla bocca.

Accosta le ante della finestra per respingere fuori il calore. Forse è il delirio della febbre, ma è la prima volta che la sento parlare in questo modo.

– Dopo tanti sforzi per crescerle pulite, che cosa mi ritrovo? Una figlia murata in casa da un disgraziato e un'altra consumata da un mezzo delinquente.

Solleva la benda di cotone dalla mia testa, la immerge in un catino accanto al letto, la strizza e me la ripone fresca sulla fronte.

– Ogni cosa abbiamo perso: la terra, le bestie, la dignità. Che ci rimane?

Sento la debolezza prendersi il mio corpo, la sua voce mi arriva oramai come in sogno. – Quando sono arrivata, tanti anni fa, ero una straniera. Ho fatto di tutto per essere accettata: non è servito a niente, come raddrizzare le gambe ai cani. Via da qua, ce ne dobbiamo andare, e non tornare mai piú.

Lui si avvicina, siede accanto a me su un lato del letto. Le palpebre sono intorpidite, riesco ad aprire gli occhi a spiraglio. – Amalia, – dice, e le prende il viso tra le mani. – Scappa chi il male lo fa, non chi lo sopporta.

– L'hai sentito pure tu, il maresciallo.

– Pippo Vitale ci ha raccontato cose che conosciamo già, ma Oliva è giovane, l'abbiamo fatta studiare e adesso dobbiamo ascoltare la sua voce.

Io voce non ne ho, gli occhi mi pizzicano e non riesco nemmeno a distinguere le loro parole. Sento passi nella stanza e poi piú niente, come quando io e Cosimino dormivamo nei letti gemelli e prima di prendere sonno immaginavo di essere sul palco per la festa del Santo patrono con le alucce bianche legate alle spalle. «Canta, Olí, canta», grida mia madre in mezzo alla folla. Io inspiro dalle narici, contraggo il torace e spingo il fiato attraverso la gola, ma la bocca resta muta. Gli sguardi della gente sono puntati su di me. Le bambine del coro sorridono di soddisfazione: non me lo meritavo, il posto da voce sola. La musica riparte, conto le battute fino al mio attacco e butto fuori l'aria, ma niente. Sono tutti di fronte a me: mio padre, Cosimino, c'è anche Fortunata, è bella e impettita e ha i capelli biondi cotonati come Mina quando si sfiora le labbra con i polpastrelli gorgheggiando *Le mille bolle blu*. «Oliva, – dice mia madre, – canta!»

Ma io non riesco ad articolare suono. La Scibetta con le figlie batte le mani fuori tempo, Saro mi osserva deluso: pensavo che fossi la piú brava e invece ti sei guastata, dice, e se ne va. Poi sul palco sale una donna con il vestito scollato e i capelli sciolti sulle spalle. È la maestra Rosaria, penso in principio, ma, quando si volta, scopro che è Liliana. Mi sorride, si avvicina al microfono, tutti in piazza fanno silenzio e si sente solo la sua voce che mi chiama.

«Oliva, Oliva, Olí!»

52.

– Come ti senti, Oliva? – Liliana mi sfiora la fronte con le labbra e torna a sedere accanto al mio letto nel posto che era prima di mia madre. – Meno male: sei sfebbrata, è stato un colpo di calore, – stabilisce, accavalla le gambe e il vestito lascia scoperte le ginocchia.

– Già sei diventata dottoressa? – dico fissandole il disco della rotula, candido e tornito. Lei sorride e con una mano si ricaccia indietro i capelli che le piovono sciolti sul viso. Punto il peso sui gomiti e mi metto seduta, Liliana mi porge il bicchiere d'acqua che è sul comodino, quando solleva il braccio, dallo scalfo della manica si intravede la pelle bianca del seno.

– Come ti sei vestita? Ti devi stare accorta, – la rimprovero.

– Accorta? A che? – sorride ancora.

– Io andavo tutta abbottonata, con lo scialle di mia madre sulla testa, e mi è successo quello che è successo. Tu cosí te lo cerchi.

Liliana abbassa gli occhi sull'abito e inizia a grattare con l'unghia uno dei fiorellini rosa, come fosse una macchia da sfregare via.

– Se qualcuno per strada mi offende è colpa mia?

Mi sembra di sentire suo padre, adesso, con quelle domandine che vogliono dire e non vogliono dire, perciò le rispondo, anche se sono ancora debole e non ho volontà di parlare.

– Se conciata cosí qualcuno ti offende solamente, sei già fortunata. A me è stato strappato di forza tutto quello che avevo, senza che facessi niente di male...

Liliana smette di grattare il fiore sul vestito e si osserva l'unghia, come se potesse essere sparito sotto la pelle. – Quindi doveva succedere a me, invece che a te? Che ho fatto di male, io?

– Siete bravi tu e tuo padre a mettere nella bocca delle persone le parole che non pensano.

Non voglio darle la soddisfazione di vedermi piangere, cosí spingo le lacrime indietro fino quasi a farmi ritornare la febbre, tanto ho le guance congestionate. – Io non me lo meritavo... – riesco solo a dire.

– No, Oliva, ti sbagli...

Un singhiozzo mi sbuca dal petto con prepotenza e produce un lungo lamento.

– Ti sbagli, – ripete, e mi asciuga la faccia con il fazzoletto che mia madre ha lasciato sul comodino. – Nessuna se lo merita: né la castigata né la scollacciata né la timorata di Dio né la comunista. La colpa è di chi fa, non di chi patisce.

– Tu non lo puoi capire, – rispondo tra le lacrime, – i maschi non conoscono sentimento, la maestra Rosaria aveva torto: non sono come noi, per loro l'amore è un tremore maligno che hanno dentro la carne e che cerca il modo di venire fuori. La femmina si deve difendere, sennò diventa complice.

Liliana gira la testa da un lato e dall'altro. – Che cosa mi hai detto tu, un minuto fa? Il mio abito è corto, è scollato –. Si guarda il vestito come per verificare. – Lo vedi? Siamo proprio noi le prime: troppo succinto, troppo lungo, troppo stretto, troppo provocante. Ripetiamo le stesse parole dei maschi, invece di provare a modificarle. Quello che è successo a te non c'entra niente con l'amore; l'amore non si impone, si scambia...

Non le lascio finire la frase. – Tu vai a scuola, – le rinfaccio, – il prossimo anno ti diplomi maestra, conosci tante cose, ma di questa non sai niente, per fortuna tua!

Non riesco a guardarla in viso: provo vergogna a causa di quel che ho pensato di lei per via del vestito e dei capelli e mi giro dal lato del muro.

Liliana mi carezza la mano. – Hai fatto bene ad andare al comando dei carabinieri, – dice dopo un po'. – Il tuo dolore lo metti al servizio delle altre: quanti matrimoni infelici, quanta violenza nelle case, quante disgrazie! – Ha la voce della maestra Rosaria quando mi lodava per aver finito l'analisi grammaticale prima di tutti.

– Ti sbagli, mi sono seduta là dentro solo perché avevo male a un piede, – e indico la scarpa rotta che ancora giace in un angolo della stanza, nel mucchio delle cose da buttar via. – E il maresciallo Vitale, che credi, mica mi ha fatto l'applauso. Mancava poco che non ci cacciasse: dice che ci vogliono soldi per l'avvocato, che mi faranno il processo, la visita intima e delle domande mortificanti. A discolparmi devo essere io, lui stava nel giusto, la legge sta dalla parte sua, e se non lo sposo è peggio per me.

– È peggio per lui, che finisce in galera, – dice e mi solleva la mano che mi teneva stretta, come se avessi vinto un premio.

– Galera? Chi possiede denaro è sempre innocente. Il padre sta ben ammanigliato –. Libero le dita dalle sue e me le porto sugli occhi. – Ha ragione il maresciallo: io mi sentivo lusingata, la piú bella del mondo mi faceva sentire. La vanità è figlia del...

– Lui ti guardava e tu ti sentivi bella. E allora?

– Non sta bene.

– E perché?

– Basta, – mi tappo le orecchie, – basta. Io non volevo che mi facesse quello.

– È proprio questo, il punto, Oliva: tu non volevi! Cosa diversa è gettare uno sguardo e cosa diversa è prendere di forza una persona. Ragazza sei, mica gallina di pollaio. Ti ricordi quella sera che ti portai la foto? «Sciò, sciò», dicevi alle bestie per allontanarle dal recinto, ma loro, zitte e mute, facevano marcia indietro per ritornare nella gabbia. Vuoi fare come loro?

Volto lo sguardo verso l'asse mobile.

– Quella foto non esiste piú, quella ragazzina non esiste piú, lo vuoi capire? – le urlo in viso. – Io sarò pure una gallina, ma tu hai la testa piú dura dell'asina.

– Chi, io? Io? – Liliana incrocia le braccia e scavalla le gambe. Se esce da questa stanza sarò davvero sola. Appoggia le mani sui braccioli e si solleva dalla poltrona.

– *I-ò!* – la imito facendo una smorfia. Lei si blocca interdetta. – *Iò-iò!* – ripeto e mi rizzo in mezzo al letto. Lei torna a sedere, confusa. – *Iò-iò-iò!* – riprendo a ragliare e mi avvicino a lei muovendo la testa come il mulo. Mi fissa incerta e si ritrae, come se potessi attaccarla a morsi. – *Iò-iò-iò-iò* –. Balzo giú dal letto tirandomi il lenzuolo sulla testa e inizio a scalciare per la stanza.

Liliana sorride, poi scatta in piedi anche lei, afferra un altro lembo del lenzuolo, lo tira via dal materasso e se lo mette sulle spalle. – Se io sono asina, tu paurosa come pecora sei: *bee-beeee-beeeee!*

– E tu allora? Strepiti come la rana: *cra-cra, cra-cra, cra-cra!*

– *Muuuuu*, – mi insegue Liliana ridendo. – *Glo-glo-glo*, – le rispondo tirandole un cuscino sulla testa.

Ci rincorriamo per la stanza facendo i versi di tutte le

bestie del creato. Poi Liliana solleva il pugno verso il soffitto e proclama: – Libertà, libertà: ogni animale prima o poi l'avrà!

Marciamo ripetendo queste parole in coro, saltiamo sul letto, sventoliamo le braccia e ci lasciamo cadere sul materasso.

Mia madre arriva di corsa, spalanca la porta e ci trova avvoltolate in un groviglio di lenzuola.

– Che sta succedendo qua, hanno aperto il serraglio? – si agita, mi osserva e inclina il capo. – Stai meglio, – dice a voce piú bassa. – Ricomponiti, Olí, di là c'è qualcuno che ti vuole dire una parola.

53.

Calò è seduto in cucina, mi sembra piú piccolo rispetto a quando parlava nel capanno delle reti, come se gli si fossero ritirate le ossa. Si sfila gli occhiali con flemma e li netta con una pezzuola che estrae dalla tasca dei pantaloni. I miei genitori lo osservano dall'altro capo della tavola, Cosimino non c'è.

– Mi felicito di vederti in salute, – dice con quella vocetta fiacca. – Liliana è venuta ogni giorno per sapere se la febbre scemava.

– Mi dispiace di avervi arrecato disturbo, – rispondo, e con la coda dell'occhio guardo la mia amica che si accosta i lembi della scollatura.

– Devi sapere, Oliva, che non sei sola, noi siamo una piccola comunità e nel momento del bisogno ci scambiamo aiuto.

Ripenso agli sguardi della gente mentre attraversavamo la piazza tormentata dal sole e mi mordo il labbro inferiore.

– Stavo raccontando ai tuoi genitori che l'ultima volta che sono stato a Napoli per una riunione del partito ho avuto modo di conoscere una compagna che si occupa proprio di cose di donne…

– Oliva la mamma ce l'ha, – interviene brusca mia madre.

– Certamente, questo non è in dubbio, – risponde lui con dolcezza. – Vi chiedo solo di avere l'amabilità di ascoltarmi per qualche minuto, dopodiché farete le vostre sacrosante considerazioni.

Lei si torce le mani e guarda fuori dalla finestra, verso il campo spogliato di piante.

– Prima di venire a farvi visita, dicevo, mi sono permesso di contattare questa compagna, Maddalena Criscuolo si chiama, e di esporle il vostro caso. Mi ha assicurato che potrebbe aiutarvi a trovare un avvocato specializzato nella materia.

– Antonino, – risponde mio padre, – io ti ringrazio per l'interessamento, ma vedi che noi soldi da spendere, adesso come adesso, non ne abbiamo.

– Di questo non ti curare, Salvo, – dice Calò. Guarda attraverso le lenti per sincerarsi che siano limpide e le inforca con calma. – Da pagare non c'è.

– Qualche cosa da noi vorrà, – dice mia madre sospettosa. – Altrimenti perché questo signore si prenderebbe il disturbo di faticare senza compenso?

– Lo fa perché è giusto, – risponde Calò, semplicemente.

– Di giusto e di buono sono piene le fosse, – ribatte mia madre, sospirando.

Calò non muta espressione, come quando durante le riunioni ascoltava tutti i pareri senza fare parola, e si gratta la barbetta che gli ricopre il mento. – Sono poche le ragazze che hanno il coraggio di denunciare una violenza, e lo sai perché? Per paura, per vergogna, per ignoranza. Tanti pensano che bisogna evitare lo scandalo e, invece di condannare il rapitore, condannano la figlia a vivere tutta la vita sposata al suo aguzzino. O altrimenti vanno a cercare il sequestratore e gli praticano un foro sulla testa a colpi di fucile, si fanno tanto cosí di galera e poi tornano liberi perché il movente del delitto era ristabilire l'onore della figlia. Queste leggi sono il frutto di una mentalità antiquata,

54.

Quando Cosimino rientra, è tardi e noi abbiamo già cenato, ha l'aria stralunata e due ombre scure sotto gli occhi. Dopo che ci separammo nella piazza, per cinque giorni non si ritirò a casa, nemmeno per dormire. Mia madre lo vede arrivare, si porta una mano sul petto e si precipita ai fornelli. Non dice niente, vuole solo che mangi, che sieda a tavola e metta in bocca il cibo che lei ha preparato e che continuerà a preparargli fino a quando non ci sarà una femmina che glielo cucini al posto suo e che lui chiamerà moglie.

– Non ho fame, mà, – la liquida e se ne va nella sua stanza. L'inappetenza di Cosimino, il viso sbattuto, le notti passate chissà dove. Anche questo è il prezzo di camminare nella direzione opposta. Nel letto mi rigiro senza poter prendere sonno. «Mi racconti la storia per dormire?» chiedeva quando eravamo piccinni. «Che storia? Dormi ché è tardi», rispondevo, per farmi preziosa. «La storia di Giufà», insisteva. «Non la ricordo», mentivo io. «Giufà e la trippa arriffata!» «Quella l'ho detta già ieri sera». «Giufà e la pignatta rubata, allora». «La raccontai ieri l'altro». Restavo in silenzio, ma, appena capivo che stava per rinunciare, iniziavo: «Me ne sovviene una nuova che lessi proprio questa mattina a scuola sul libro della maestra Rosaria», e andavo avanti fino a che non sentivo il suo respiro farsi piú largo.

Arrivano dei passi dal corridoio. – Stai dormendo? – domanda lui da dietro la porta. – Quando mai, entra, – e mi appoggio la vestaglia sulle spalle.

Cosimino è ancora vestito come quando è arrivato. Stenditi qua, vicino a me, vorrei dirgli, che ti racconto la bella storia di Giufà e i briganti. Invece non dico niente e lui rimane in piedi accanto allo stipite. – A casa di Saro, sono stato in questi giorni, – dice senza che io abbia chiesto. – Ti manda i saluti Nardina. Dice se la vai a trovare.

– Ricambia, se la vedi, – rispondo.

Quanti anni sono passati da quando aveva paura del buio e mi chiedeva la storia per prendere sonno? – Dice Nardina che è giusto cosí, – le parole gli escono di bocca come olio dal frantoio: filo a filo. Ogni sillaba gli costa lo sforzo di spremere il frutto. – Dice che alle voci della gente non ci devi dare importanza, devi andare sulla tua strada. Che tu non ci hai colpa, solo male ne avesti.

I baffetti, l'abito crema e i capelli tirati di lato con la pomata: tutto per dimostrare che è un uomo, ma la fatica che gli procurano queste parole me lo fa tornare bambino. Pure essere maschio è cosa dura, mica solo femmina.

– Va bene, Cosimino, ho capito. Passa la buona nottata.

Lui però non si muove, forse il sonno gli fa ancora paura come quando aveva nove anni. Rimane dov'è, sotto l'arco della porta. – Anche Saro dice che fai bene se non ti prendi quello.

Saro lo dice, Nardina lo dice, ma tu che cosa pensi, gli vorrei chiedere, invece taccio, forse perché il suo parere non lo voglio ascoltare e di quello che credono gli altri non mi importa davvero piú niente. – Saro dice che il matrimonio non si ottiene con la forza, – fa un passo avanti come per sedersi sul bordo del letto, si ferma, indietreggia di nuovo, – e che le femmine sono nuvole, questo mi ha detto, che è necessario osservare la forma che prendono e non cercare di metterle in uno stampo.

Mi tornano in mente i marfogli bicornuti, e arriccio gli angoli della bocca all'insú. – E tu, che gli hai risposto?

– Io? – Sulle guance gli si formano due chiazze rosse. – Gli ho chiesto... se lui una cosí se la sposerebbe, – e abbassa gli occhi, – una che ha avuto questa offesa, – si corregge.

La femmina è una brocca, cosí diceva nostra madre.

Finalmente alza il viso e ricambia il mio sguardo. – E lo sai che cosa mi rispose?

Giro la testa da un lato e dall'altro. Non lo so.

– «Ai suoi piedi mi getterei, ora ora», cosí mi rispose.

55.

Alla messa della domenica ci vado con i soliti panni, invece che con quelli della festa: non ho piú niente da celebrare. Don Ignazio al momento della comunione mi guarda smarrito, io gli tolgo l'incomodo e rimango al mio posto. – Vai tu, – dico a mia madre. Lei si gira a osservare le altre donne, fa due passi verso l'altare, poi ci ripensa e restiamo sedute entrambe sulla panca.

All'uscita, le mie compagne si radunano in gruppo. Qualcuna si volta e mi spia alla distanza, poi Tindara si stacca dal crocchio, mi viene vicino e mi bacia le guance. – Mercoledí che viene è il compleanno mio, ricordi?

– Ti faccio gli auguri fin d'ora, – le dico.

– Offro un'aranciata e due paste di mandorle alle amiche piú care, ti fa piacere?

– Mi rincresce ma ho già un impegno fissato, – rispondo laconica, non ho voglia di fare la barzelletta in casa d'altri.

Tindara pare dispiaciuta. – Ti consumano i preparativi per le nozze? – dice con aria partecipe. – A me ancora un mese ci manca e già sono logora. Non so come mi troverà mio marito, – e ride nascondendo la bocca dietro la mano.

La guardo stordita. Quale matrimonio, di che marito parla? Mi prende a braccetto. – Non ti devi curare di ciò che dicono quelle, – e getta un'occhiata al capannello alle nostre spalle. – Sono solo invidiose che noi già andiamo spose e loro ancora no. Si trova sempre argomento per parlare, giusto? Di me discorsero per il fidanzamento combinato, poi si stancarono e andavano proprio in cerca di una nuova novità, come il gatto va dietro alla trippa. Per loro fortuna tu ci hai gettato l'osso. Ma io e te ce lo possiamo confidare nell'orecchio: quanto sono provinciali! L'ho detto a tutte quante, che fai bene a farti desiderare: troppo ha voluto correre lui, e adesso a passo di babbaluci deve andare. Magari metterci qualche cosa in piú di scritto nel contratto: lui ha la tasca pesante, la famiglia possiede il negozio di pasticceria, ha affari perfino in città!

Sfilo il mio braccio dal suo. Sono tutte convinte che non ho ancora accettato la paciata per rendermi preziosa e alzare la posta. Mi preferiscono venduta invece che svergognata. Meglio avida di denaro che disonorata e priva di sposo.

– Che fu? – chiede Tindara sorpresa. – Io sono dalla parte tua: se non ci doniamo amicizia tra di noi, chi ce la deve donare?

– Tanti auguri, Tindara, per il compleanno e per tutto, – la saluto e mi affretto a raggiungere mia madre, che si è avviata sullo stradone. Lei torna dalle compagne e riprendono a chiacchierare, io mi allontano senza salutarle. Al loro gruppo non appartengo piú. Non appartengo piú a nessuno.

56.

Liliana viene ad aprire la porta. – Entrate, è già arrivata, – dice contenta, come se ci stesse invitando a un rinfresco. Mio padre si toglie il cappello e attraversa l'uscio, io lo seguo. Nella sala da pranzo, Calò è seduto al tavolo, accanto a lui c'è una donna con i capelli corti castano scuro. Appena metto piede nella stanza, mi viene incontro e scopro che porta i calzoni, come i maschi. – Eccoti qua, finalmente, – dice come se non mi vedesse da un sacco di tempo e le fossi mancata, poi allarga le braccia, me le poggia sulle spalle e mi attira a sé. Io mi sento il sangue debole e trattengo il fiato: non mi piace che qualcuno mi stringa, da quando è successo il fatto. Lei sente i miei muscoli contratti dall'apnea e allenta la presa. Fa un passo indietro per osservarmi e mi prende il viso tra le mani. – Antonino mi ha parlato di te con tanta partecipazione che mi sembra di conoscerti, – dice come per giustificarsi. – Ma forse di me tu non sai niente, – e scopre una fila di denti bianchi e grandi. – Mi chiamo Maddalena Criscuolo e faccio parte dell'Unione delle donne italiane.

Lo dicevo io, alla maestra Rosaria: il femminile singolare non esiste. Le donne, in un modo o nell'altro, sempre insieme devono stare. – Fate l'avvocato? – domando intimidita. – Io no, – sorride ancora, guarda Calò, forse si aspettava che fossi piú sveglia. – Sono una militante.

– E che cosa significa? Siete nell'esercito? – chiedo imbarazzata.

– Una militante è una che partecipa attivamente per migliorare la vita di tutti, – mi spiega, come a una piccinna. – Sono tante le battaglie che portiamo avanti, – si rivolge a mio padre che è impegnato a seguire con l'indice della mano destra le venature del legno sul tavolo di Calò, – per la legge sul divorzio, sull'aborto, contro la violenza sulle donne...

Alle parole divorzio e aborto mio padre corruga le sopracciglia e incrocia le braccia sul petto.

– Avevo capito che dovevamo parlare con l'avvocato, – mi giustifico e guardo verso di lui, che solleva la testa e batte un paio di volte le nocche sul tavolo.

– Sabella sta per arrivare, – ci rassicura Maddalena. – Volevo solo avere qualche minuto per fare la tua conoscenza, Oliva, scambiare una parola da donna a donna.

Che cosa vuole sapere, che ci dobbiamo dire? Improvvisamente mi prende una stanchezza che mai prima avevo provato. Stanchezza di gambe, di schiena, di spalle, di pensieri, mi sembra di accartocciarmi sul mio scheletro sotto il peso di tutte le parole che ho sentito dal momento in cui successe il fatto. Ognuno pare che sappia piú di me, tutti hanno la risposta in tasca e nessuno mi ha domandato finora come mi sento io. Mi puntello con le mani allo schienale della sedia dove mio padre è ritornato a contemplare il tavolo. – Venite di là, – propone Liliana. – starete piú tranquille.

Io e Maddalena la seguiamo nella sua stanza: sullo scrittoio i libri sono aumentati ancora, come le foto. Sul ripiano di uno scaffale, un raccoglitore aperto con immagini scattate da Liliana. – Me l'aveva raccontato, Calò, che anche sua figlia è una brava fotografa, – incomincia Maddalena guardandosi intorno. Io non commento. – E tu, cosa fai: vai a scuola?

– Ho fatto fino al secondo anno delle magistrali, poi mi sono fermata.

Sfoglia le pagine del faldone e riconosco a una a una le facce del paese. – Non ti piaceva studiare? – domanda.

Nardina davanti alla merceria di don Ciccio, la Scibetta larga che esce dalla chiesa con un velo color avorio ricamato da mia madre, Nellina fuori dalla sagrestia... Che gusto ci prova a vedere queste smorfie stampate sulla carta lucida, quando ci può sbattere contro ogni volta che mette piede fuori casa? Io darei del denaro per non incontrarle piú.

– Mi piaceva, – rispondo, – ma per una ragazza non sta bene sapere troppe cose, dice mia madre. E poi, dopo il fatto...

– Vorresti riprendere? – chiede.

– È tardi, – mormoro, – ormai è andata cosí, – e ripenso alle ore di latino con la professoressa Terlizzi, a quando ancora credevo che *rosa, rosae, rosae* fosse la formula magica per tenere lontane le cose cattive.

– Potresti prendere il diploma da privatista e impiegarti come maestra, ci hai pensato mai?

– Mio padre già ebbe l'infarto, un poco di terra che avevamo e qualche animale ce li hanno tolti. Io con il ricamo mi arrangio, dice mia madre che sono bravina.

Maddalena tace e continua a sfogliare le pagine dell'album rilegato in cartone rosso. Sembra cosí concentrata che non so se ha sentito quello che ho detto. Mi metto a osservare anche io: sono tutti ritratti di donne.

– Ti ho voluto parlare a quattr'occhi, Oliva, – dice infine, – perché l'avvocato ti chiederà cose che forse tu non avrai voglia di raccontare, ma devi sapere che lo farà solo per poterti aiutare meglio. Piú cose gli spiegherai, meglio andrà.

– Che gli faranno a quello? – domando, con gli occhi fissi sulle foto di Liliana.

– Sarà incriminato di rapimento e violenza sessuale, – risponde.

– Il maresciallo disse che non mi crederanno e che il giudice non gli farà niente.

– Può succedere, – risponde. – Sabella è bravo ma sull'esito io non posso darti certezze. Se vuoi andare avanti lo fai per te stessa, per far venire fuori la verità.

Mi arriva una fitta allo stomaco: io non lo so se sono favorevole alla verità. La verità è anche che tante volte mi è battuto il cuore a vederlo in fondo alla strada, ad aspettare il mio passaggio. La verità è che rimanevo delusa quando quel lato della via restava vuoto e nessuno sguardo mi seguiva fino all'incrocio con lo sterrato che mi portava a casa.

Maddalena continua a girare le pagine e a un tratto spunta la faccia di mia madre: porta lo scialle che mi diede il giorno del rapimento.

– Mi piaceva andare a scuola perché conoscevo tutte le risposte, ora non so piú niente. La gente si aspetta di vedermi all'altare e forse anche a lei farebbe piacere cosí, – e indico la foto. – Mio fratello magari vorrebbe che sposassi Saro, un nostro amico di infanzia, ma lui mi prenderebbe solo per compatimento, e io non gli voglio infelicitare la vita. Senza contare che metterei in pericolo anche lui e la sua famiglia, finirebbero a pagare loro per un peccato mio. E poi mio padre: se mi tirassi indietro adesso, resterebbe deluso. Troppe umiliazioni gli ha donato questa storia, troppo malanimo e perfino la malattia del cuore.

Mi tremano le gambe e non riesco piú a guardarla in viso per la vergogna.

– Ho scomodato tanta gente per un errore che fu mio tanto quanto suo. Questa è la verità: non ho nessun coraggio e non sono un esempio per nessuno.

Maddalena mi afferra la mano e la posa sulla foto di mia madre. – Il coraggio è come una pianta, – dice, – bisogna coltivarlo, dargli il terreno, l'acqua, la luce del sole. Due assistono a un delitto, riconoscono l'assassino: appartiene a una famiglia assai potente. Che cosa fanno? Lo vanno a denunciare o stanno zitti? Se sanno che saranno vittime di una vendetta, allora se ne torneranno a casa muti. Nessuno, da solo, è un eroe, per questo io e l'avvocato Sabella siamo venuti qua: non per spingerti a fare una cosa, ma per assicurarti che, se vuoi, la puoi fare.

Per un po' di tempo nessuna delle due parla. Dalla finestra aperta arriva la musica della radio: *Renato-Renato-Renato*, canta Mina. Anche le canzonette sono un inganno: sono piene di giovani libere e spregiudicate che accusano i ragazzi di non averle ancora baciate, mentre nella realtà facciamo peccato mortale anche se respiriamo. *Renato-Renato-Renato*, il ritornello batte e ribatte, si smorza, tace.

– E tu, come stai? – mi chiede Maddalena a un tratto. L'unica domanda che nessuno mi aveva ancora fatto arriva, finalmente. Fisso l'immagine di mia madre di fronte a me, – Non lo so, – dico, come se lo confessassi alla sua foto. – E nemmeno piú mi ricordo di me come ero prima.

Maddalena ascolta in silenzio mentre la mia mano percorre il viso di mia madre, ruga per ruga, dolore per dolore. Cosí ci trova Liliana, quando si affaccia nella stanza. – È arrivato l'avvocato Sabella, – dice.

57.

È seduto a capotavola, ha una valigetta di pelle nera da cui estrae alcuni fogli e li sistema davanti e sé. – Vorrei cercare prima di tutto di ricostruire l'accaduto, – dice quando anche io ho preso posto accanto a mio padre. – Che cosa è successo la sera del due luglio scorso? – chiede senza altri preamboli.

– Avvocato, c'è poco da dire, – inizia mio padre, – Oliva venne presa con la forza da un noto giovanotto di malaffare, nel paese lo sanno tutti che è persona poco limpida...

– Questo non conta, – lo interrompe subito l'avvocato, fissando i suoi appunti. Sono scritti con una grafia minuta e precisa che rispecchia il suo aspetto ordinato.

– Come, non conta? – chiede lui deluso. Guarda Calò come se gli avesse rifilato una fregatura.

– Mi spiego, signor Denaro, – Sabella inforca gli occhiali e si ravvia i capelli, – per il giudice non è importante chi è l'imputato, ma che cosa ha fatto e se lo ha fatto.

Mio padre si porta le mani alle tempie. – Cosí è la legge? Il giusto si deve discolpare davanti al peccatore?

– Per la legge non ci sono peccatori, solo colpevoli o innocenti, fino a prova contraria, – spiega Sabella. Mio padre non dice piú nulla e china il capo. Calò c Liliana sembrano imbarazzati e per un momento sento pena per lui perché non riesce a farsi intendere dall'avvocato. Vorrei scappare da questa stanza e mettermi a correre come durante il rosario a casa della Scibetta, invece mi giro verso Maddalena e mi tornano in mente le cose che ci siamo dette in camera di Liliana.

– Posso parlare io, avvocato? – chiedo timidamente. Tutti si voltano dal mio lato, tranne Sabella, che si mette davanti un foglio bianco e afferra una stilografica. – Dica pure, – risponde senza guardarmi, e si predispone a prendere appunti. Il cuore mi batte cosí forte che ho paura che le pulsazioni rimbombino nella stanza. Le parole mi sono sempre state amiche, ma ora non le trovo piú, sono fuggite tutte. Quando si trattava di difendere Saro o la maestra Rosaria era un conto, ora invece devo parlare per me stessa. Incomincio, ma le frasi mi si sciolgono in bocca, perché dirlo significa viverlo di nuovo, e stavolta di fronte a tutti, senza potermi piú nascondere. Mi porto una mano sul petto e inizio a tormentare un bottone della camicetta, come facevo a scuola durante l'interrogazione con l'asola del grembiule nero. Chiudo gli occhi e sono alla cattedra, davanti a me c'è la Terlizzi e intorno le compagne. Ho studiato, conosco la lezione in ogni dettaglio e come sempre avrò un buon voto. Cosí riprendo a respirare e le parole, a una a una, scivolano fuori, come se raccontassi la storia di un'altra. Come se io non fossi piú io.

– Andò cosí: era il giorno del mio sedicesimo compleanno e io tornavo a casa sul calare della sera, ero da sola.

Rosa, rosae, rosae: l'incantesimo funziona di nuovo. Sabella mi guarda con attenzione e scrive qualcosa sul foglio che ha davanti. Di tanto in tanto inarca un sopracciglio, ma non so cosa significhi questa espressione nella sua faccia, se compassione o rimprovero. Liliana è pallida, questa storia non l'avevo mai raccontata nemmeno a lei.

– Dopo alcuni giorni, non sono riuscita a tenerne il conto, mi sono trascinata alla porta e l'ho battuta con le poche forze che mi erano rimaste. L'ho pregato di tornare, come aveva detto lui.

Non riesco a girare gli occhi verso mio padre, cosí li tengo fissi su Sabella, che seguita a grattare il foglio con la stilografica nera. Maddalena fissa un punto sul tavolo: deve essere delusa, certamente, perché lei non avrebbe mai ceduto al suo rapitore. Avrebbe preferito morire di fame, di sete e di paura, piuttosto che pronunciare il suo nome e implorarlo di tornare. La voce a un tratto mi viene a mancare, ma arrivo fino in fondo, fino alle voci dei carabinieri, alla corsa, agli spari, all'ombra di mio padre che avanza tra gli alberi.

Quando taccio non si sente piú nessun rumore, anche la stilografica dell'avvocato ha perso la voce. Poi dalla cucina arriva rumore di vasellame a rompere l'incantesimo: è la signora Fina che inizia a preparare il pranzo. La vita per gli altri riprende come se nulla fosse accaduto. Era tutto semplice, prima, anche per me! Cozzare di stoviglie, pensieri che vanno e vengono, giorni che scorrono comodi nella lenta noia, invece di questa paura che mi agguanta ogni mattina appena apro gli occhi e tante volte mi tiene compagnia anche la notte.

– Qualcuno l'ha vista passare, la sera del ratto? – chiede Sabella sollevando appena la penna. La strada era vuota, era quasi ora di cena, anche i negozianti stavano chiudendo bottega. All'improvviso mi ricordo i passi alle mie spalle, il cuore che sussulta e il padre di Tindara che mi fa un cenno col capo, mi supera e sparisce.

– Santino Crisafulli era passato per la strada proprio in quel momento, – rispondo, – magari lui ha sentito qualcosa.

Maddalena annuisce e intreccia le dita delle mani.

– Mi dispiace, – aggiungo, dato che nessuno prende la parola, – per tutto questo disturbo. Io non credevo che a causa di uno sguardo, di una parola, si potesse arrivare a tanto.

Sabella si sfila gli occhiali. – Signorina, – dice con la faccia severa, – lei non si deve scusare e non si deve dispiacere perché non ha fatto niente di male. Se anche si fosse promessa a questo, – fa una pausa, – giovanotto... – Io scuoto vigorosamente la testa per negare, lui prosegue nel suo ragionamento. – Se anche lei lo avesse, come si dice, incoraggiato, se pure lei ne fosse stata invaghita, perfino se foste stati fidanzati, arrivo a dire... – Mi torco le dita fino a provare un dolore sufficiente a calmare quello che ho in petto. – L'unica domanda che conta è la seguente: lei era o non era consenziente a consumare il rapporto con il Paternò? È stata messa nella condizione di scegliere liberamente se assecondare i suoi approcci o si è sentita costretta dalla prostrazione, dalla fame, dalle minacce, dalla forza, dall'umiliazione?

– Io non volevo, però...

– Ci sono diversi tipi di violenza, – interviene finalmente Maddalena, – quella fisica e quella psicologica: tu le hai sofferte entrambe. Non hai scelto spontaneamente di andare con lui, ma lo hai subito contro la tua volontà. E questo non è amore, è costrizione.

Donna Fina arriva con il caffè, quando mi passa accanto mi cinge le spalle con il braccio. Sabella soffia sul liquido nero, lo ingoia in un sorso e poggia la tazzina sul tavolo. Raduna meticolosamente i fogli che aveva davanti a sé, li riordina in una cartellina grigia e li ripone nella borsa di pelle. Si alza in piedi.

– Per me è tutto chiaro, Oliva, ma la decisione spetta a lei, in accordo con i suoi genitori, naturalmente, considerando il fatto che è minorenne. Se intende procedere e decide di costituirsi parte civile nel processo contro Paternò, io sono pronto ad assumermi l'incarico, senza alcun onere, si intende.

Mi giro verso Maddalena, ma lei è impegnata a parlare con Liliana. Allora mi accosto all'avvocato e lo seguo verso l'anticamera. Chino il capo in avanti e mi appoggio alla parete. – Lei non ha colpa, Oliva, – dice Sabella prima di uscire, – è solo una ragazza.

58.

Il maresciallo Vitale ha compilato alcuni documenti quasi senza parlare e quando siamo usciti ha poggiato una mano sulla spalla di mio padre. Ce ne siamo tornati per le vie laterali, poi mi sono messa in casa e non ho cacciato piú la testa fuori, peggio di mia sorella Fortunata.

In prigione ci volevo mandare lui e invece ci sono finita io. Il giorno inizia e termina in uguale maniera. Hanno timore di lasciarmi sola e loro pure escono il minimo indispensabile. Al mercato a vendere le rane e le lumache ci va Pietro Pinna al posto nostro, ché la gente, dopo che seppe che abbiamo sporto denuncia, perse fiducia in mio padre. Cosimino passa da un lavoro a un altro e tante volte rimane ad aspettare le giornate insieme a noi.

Un giorno c'è il sole, qualche volta piove, se viene il vento mi metto dietro i vetri a seguire le foglie che disegnano figure nell'aria. La notte prendo coraggio e solo allora esco un po' nella terra: in un angolo scampato alla distruzione, le braccia di mio padre hanno rimesso la verdura.

Quando bussano alla porta, mia madre si porta le mani sulle guance e fa istintivamente un passo indietro: visite non ce ne arrivano piú, e abbiamo paura che dopo le galline e il campo vengano a fare del male anche a noi. Guarda dallo spioncino: – Ci sta una signora con i pantaloni e i capelli tagliati da maschio, – dice.

Maddalena entra e ci abbraccia, tutte e due. – Avevo tanto desiderio di conoscerla, cara Amalia, – mia madre si ritrae, poi la fa accomodare in cucina. Ha portato con sé una borsa pesante. – Ecco qua, – dice, e la apre davanti a noi.

– Di altri libri avevamo proprio bisogno, – commenta mia madre in calabrese e, mentre noi ci avviamo verso la mia stanza, aggiunge, – ce li mangiamo per pranzo in mezzo al pane.

Maddalena siede al mio scrittoio e la camera mi sembra piú grande, la sua presenza dilata lo spazio. Passa in rassegna i libri accatastati in un angolo e annuisce. – Ti piace leggere, – commenta.

– Me li regalò la maestra delle elementari, alcuni li ho riletti quattro, cinque volte.

– Questi però non sono romanzi, – dice, e sistema una pila di volumi sul ripiano della scrivania. Leggo le etichette sulle copertine foderate con carta colorata: italiano, matematica, storia, geografia, latino. – Io la scuola l'ho finita, – obietto.

– Potresti andare avanti da sola, esercitandoti a casa, Liliana che sta piú avanti ti aiuterebbe, i libri te li ha fatti avere lei. Faresti l'esame da privatista per ottenere il diploma di maestra, in modo da poter lavorare e non dipendere piú dalla famiglia, né... – si interrompe un momento, – né da nessuno.

Sfioro con i polpastrelli il dorso dei volumi: mi piaceva indossare il grembiule nero, camminare fino alla scuola con Liliana, seguire le lezioni, tornare a casa, sedermi allo scrittoio e lavorare nel silenzio. Forse, se ricominciassi, le giornate tornerebbero a essere divise in ore e il tempo in giorni, e anche questa prigionia finirebbe prima.

– Non so se ne sono capace, – confesso.

– Nemmeno io ero capace di fare molte cose che ho fatto, – risponde lei, e sorride mostrando i denti bianchi e dritti. – A vent'anni assieme a un gruppo di compagne e compagni ci mettemmo in testa di organizzare dei treni speciali per portare i bambini bisognosi presso le famiglie del Nord. Lo sai che cosa diceva la gente? Che noi comunisti mangiavamo i bambini, ma andammo avanti lo stesso e cosí tante donne si fidarono e ci consegnarono i loro figli.

– Gradite un poco di latte di mandorla con la menta, dottoressa? – domanda mia madre affacciandosi alla porta.

– Grazie, Amalia, con piacere –. Maddalena si alza e torniamo in cucina. – Non sono dottoressa, però, – precisa.

– Vi ho visto con i libri, – si giustifica lei.

– All'università non ci sono andata, ho preso il diploma magistrale e insegno ai bambini, – chiarisce Maddalena.

– Pensavo che facevate la politica, – commenta mia madre.

– La politica la facciamo tutti, in un modo o nell'altro, – ribatte, – ogni cosa è politica: le nostre scelte, quello che siamo o non siamo disposti a fare per noi e per gli altri...

Mia madre allinea tre bicchieri, vi versa il composto lattiginoso e ci aggiunge l'acqua. – Certo, è piú facile fare le cose per gli altri, quando si vive in una grande città, con il posto fisso, senza preoccupazioni per il pranzo e per la cena, – commenta, e gira rumorosamente il cucchiaino. – Anche io sono nata e cresciuta in una città –. Mia madre socchiude gli occhi come per mettere a fuoco un'immagine di tanto tempo fa. – Poi incontrai Salvo, ero poco piú grande di Oliva, me ne andai di testa e lo volli seguire fino al suo paese –. Si guarda intorno. – Ce ne scappammo di nascosto perché i miei genitori non volevano. Venti anni fa i giovani non avevano libertà di scegliere, la fuitína era l'unico modo. Oggi, invece... – mi rivolge un'occhiata veloce e sistema un piattino sotto ogni bicchiere. – Le leggi che andavano bene per quei tempi adesso non valgono piú, le cose vanno avanti, e paga il santo per l'assassino.

Dalla piantina sul davanzale stacca qualche fogliolina e la sciacqua sotto il rubinetto. L'odore di menta si spande per la cucina. – Mi sposai per amore, senza corredo e senza dote, subito sono arrivati i figli, Fortunata, la prima, e dopo quattro anni Oliva e Cosimino. E che vuoi fare per gli altri, quando hai tre figli? A stento riesci a fare per loro. Avete fatto bene voi che non vi siete maritata, siete rimasta libera, – fa tintinnare il cucchiaino sul vetro e guarda affondare le foglie nel bicchiere.

Maddalena avvicina la bevanda alle labbra e ne prende un sorso. – Io, per la verità, ho una figlia poco piú grande di Oliva, – dice, e poggia il bicchiere sul piattino.

Mia madre le guarda la mano alla ricerca della fede. Lei se ne accorge e stringe le dita a pugno. – Rimasi incinta a diciotto anni, il padre disse che lui non ne sapeva niente e che non gli apparteneva –. Mia madre afferra la bottiglia dell'orzata, la ripone nella credenza e prende posto accanto a lei. – Meglio cosí, pensai, la crescerò da sola. Durante la gravidanza andai a stare da una zia che abitava in campagna, perché mio padre voleva che la cosa restasse nascosta. Me la sentivo crescere dentro e immaginavo la sua vita come sarebbe stata.

– E come fu? – chiede mia madre, e allunga la mano verso l'orzata.

– Me la tolsero appena nata, la portarono via di nascosto e la diedero in adozione a una famiglia che desiderava avere un figlio e non poteva.

Il silenzio che cade tra noi è infranto dal rumore del vetro che si spacca sul tavolo. Mia madre si porta le mani sul cuore e osserva il bianco del latte di mandorla diffondersi sulla tovaglia. – Ecco qua, ho fatto l'inguacchio, –

grida con gli occhi lucidi, e scatta per afferrare lo straccio. Anche io e Maddalena ci alziamo da tavola e la aiutiamo a raccogliere i cocci del suo bicchiere. – Mi dispiace, mi dispiace, – ripete torcendosi le mani. Ci fa cenno di stare sedute, dichiara che vuol fare da sola. Maddalena però seguita a cogliere i vetri tra il liquido denso. – Tra donne ci dobbiamo aiutare, – dice, – ognuna ha la sua spaccatura.

Ci muoviamo intorno alla tavola della cucina e in pochi minuti i frammenti spariscono.

– Quando Antonino Calò mi ha raccontato quello che ti è successo, – riprende a raccontare Maddalena tornando a sedere, – sono voluta venire a conoscerti per dirti che non devi avere paura: la storia di una donna è la storia di tutte le donne. Dopo che mi tolsero mia figlia rimasi con la zia in campagna per piú di un anno, non volevo vedere nessuno, pensavo che fosse colpa mia e che la mia vita fosse finita.

– Non siete riuscita piú a riaverla? – domanda mia madre con il viso ancora congestionato.

– Ho fatto delle ricerche e sono risalita alla famiglia che la prese. Brave persone, l'hanno fatta studiare, fa Matematica all'università. Un giorno l'ho aspettata fuori dal portone della facoltà: è uscita circondata dalle amiche e dagli amici, per un attimo il suo sguardo ha incrociato il mio. Lei ha lasciato i compagni e si è diretta verso di me. Mi sono sentita come vent'anni prima, come quando mi si muoveva nella pancia. Ci siamo trovate l'una davanti all'altra, faccia a faccia, ma poi lei ha continuato a camminare e si è gettata tra le braccia del suo fidanzato, che era proprio dietro di me ed era andato a prenderla.

– E non le avete detto niente? – chiedo torcendomi le dita gelate.

– Mi ha detto lei tutto quello che volevo sapere, senza bisogno di parole: era bella, era sana, era felice, aveva amici intorno e braccia forti che la tenessero. Questo desideravo per lei, poco importa chi glielo abbia dato. Cosa altro possiamo chiedere per i nostri figli, se non che un giorno ci superino senza vederci e passino oltre, diretti verso la loro strada? – conclude Maddalena rivolta a mia madre. Lei scuote la testa, alza gli occhi al cielo e si poggia una mano sulla bocca, come a voler premere dentro le parole.

59.

Qualche giorno dopo, Maddalena partí, ma ha preso a scriverci tutte le settimane, io le rispondo subito e chiedo a Cosimino di andare alla posta. Una lettera ogni sette giorni: anche questo è un modo per consentire al tempo di passare.

Le lettere che arrivano le conservo nel cassetto della mia scrivania legate con un nastro di seta rosa, uno scampolo di stoffa che mia madre aveva ricavato da un abito per la Scibetta sottile. Una sola l'ho fatta a pezzi e l'ho gettata: non era di Maddalena, era di Franco. Quando arrivò il postino e sulla busta lessi il nome, nemmeno la volevo aprire. Ripensai al suo profilo uguale al bell'Antonio e a quando dietro il granaio credetti che quella languidezza che sentivo nello stomaco fosse l'amore. Cosí lacerai la busta ed estrassi il foglio. Diceva che aveva chiesto a quel suo zio di scrivere per lui ed era stato accontentato. Si rammaricava ogni singolo giorno di non essere stato capace di contrastare sua madre. Sperava almeno che sarei stata contenta con quell'uomo che aveva avuto il coraggio che a lui era mancato. Desiderava solo la mia felicità e mi augurava ogni bene. Non mi avrebbe dimenticata.

Accartocciai il foglio e lo strappai. Non per rabbia, soltanto per la pena.

Liliana passa ogni giorno dopo la scuola per confrontare i compiti, quello che lei fa in classe, io lo ripeto a casa.

Devo recuperare il programma dello scorso anno e tenermi al passo con quello nuovo, ma, se tutto va bene, a luglio ci diplomiamo entrambe. Mia madre all'inizio era contraria che mi presentassi con le altre del paese, ma alla fine ha mutato parere e ha iniziato a cucirmi il vestito per l'esame.

All'alba io e mio padre abbiamo ripreso ad andare per rane e per lumache, a condividere il silenzio. – Pà, – gli domando un giorno mentre rientriamo in casa nel buio nuvoloso del mattino, – sto andando per la strada giusta?

Lui apre la porta, si toglie il cappello, poggia i secchi accanto alla panca nell'ingresso e, come sempre, non fa parola.

– Sei il padre tu: niente dici? – mi spazientisco. – Niente fai? – mi sfilo la giacca umida e la abbandono sul pavimento. Lui la raccoglie con lentezza e la aggancia all'appendiabiti.

– Che cosa faccio, – sorride, e si accovaccia accanto al secchio a dirimere le lumache: piú grandi e piú piccole. – Sempre ti piacque venire per i campi e il lavoro non ti spaventava, a differenza dei tuoi fratelli, fin da quando eri piccinna.

Le sue mani frugano tra i gusci che cozzano tra loro con un delicato picchiettio. Che cosa c'entra questo, mi chiedo. Mai che risponda a tono, ha ragione mia madre. – Una volta, chissà se ti ricordi, potevi avere cinque o sei anni, dopo una pioggia di due giorni mi accompagnasti per un cammino che non avevamo mai fatto, ma sulla via di casa mettesti un piede in fallo e scivolasti dentro un pozzo artesiano abbandonato. Non avesti nemmeno il tempo di gridare, che subito ti vidi scomparire nella terra.

Quella scena mi ritorna presente all'improvviso, come se stesse accadendo in questo momento. Il freddo mi entra nelle ossa, i piedi scalciano senza riuscire a toccare il fondo, il sapore terrigno dell'acqua mi invade bocca e narici.

– Credevo di affondare, – ricordo con chiarezza, e mi strofino i palmi aperti sulle braccia, per mandare via i brividi. Poi chiudo gli occhi e sento arrivare le sue mani, forti, che mi afferrano, mi estraggono dal molle della fanghiglia e mi riportano a galla.

– Mi salvasti tu, – sussurro.

Mio padre riversa in un catino le lumache grosse per lasciarle spurgare, sono quelle che varranno di piú al mercato, lascia le piccole nel secchio, sono quelle che mangeremo noi.

– Quando si va per campi sconosciuti è meglio essere in due –. I gusci vuoti li mette da parte per concimare le piante superstiti. – Poco fa mi hai chiesto che cosa faccio. Questo faccio io, – dice una volta che ha completato la cernita. – Se tu inciampi, io ti sorreggo.

60.

Poi, la vigilia di Natale, alle prime luci del giorno, si presenta di nuovo Nellina alla porta. – Mi dispiace, comare, – le comunica mio padre aprendo appena l'uscio, – visite oggi non ne possiamo ricevere.

– E perché? – chiede lei contrariata.

– Perché siamo in pena per il gatto che non è piú tornato –. Lei tace per qualche secondo. – Ma voi mai aveste un gatto, – ribatte sorpresa.

– E sarà per questo che non tornò piú, – risponde lui.

– Salvo, tu come al solito hai voglia di giocare, ma io sono venuta per una cosa importante. – A quest'ora? – continua mio padre tenendola sulla soglia. – Si tratta di Oliva. – Sta bene, grazie, porta i miei saluti a don Ignazio.

Interviene mia madre e la fa accomodare in cucina. – Mi è stato chiesto di riferirvi che, se lasciate cadere le accuse, – inizia Nellina, – la famiglia di... lui le farebbe un regalo, a Oliva. Un regalo importante, – e sfrega l'indice e il pollice della mano destra sotto il naso dei miei genitori. Io e Cosimino ascoltiamo la conversazione dalla stanza a fianco.

– Per soldi ti vogliono prendere, commenta mio fratello lisciandosi i baffi. – Come se certe cose si potessero sistemare mettendo mano al portafogli. Non ci sta cifra per l'onore di una femmina, non ci stanno denari né legge. Il tribunale, il giudice: tutto un teatro. Fosse stato per me, altro che processo...

Mi metto l'indice davanti alla bocca, per fargli intendere di tacere. Le voci per un momento si sovrappongono, poi sento distintamente mio padre: – Nellina, tu forse stamattina al mercato delle vacche eri diretta e ti sei perduta per la via. In questa casa non ci sta niente da comprare.

Nellina fa finta di essere offesa, ma subito riprende parola: – Voi adesso dite cosí perché la cosa è fresca ancora. Ma pensate a domani, a dopodomani, agli anni a venire. Questi soldi a Oliva le andranno a fare comodo, e anche a voi, che nell'oro non ci affondate.

La sedia raschia sul pavimento, mia madre si è alzata di scatto. – Noi, questa proposta, non la possiamo nemmeno sentire, Nellina, non sia mai Iddio, e sei giustificata per avercela portata solo perché non hai conosciuto le gioie di un figlio. Oliva sta studiando per dare l'esame di maestra, – dice a voce alta, forse per farsi sentire anche da me. – Dell'elemosina altrui non ha che farsene, – aggiunge in dialetto calabrese, – ti auguro una buona giornata!

Cosimino e io ci guardiamo stupiti, mai nostra madre aveva tirato fuori una parola sgraziata verso Nellina né verso nessun altro del paese. Una vita intera a dire sissignore e sissignora per quieto vivere, per abitudine, per non inimicarsi le persone. E adesso pure lei ha imparato a dire no.

La perpetua, allora, la avverte che alle giuste risoluzioni è meglio arrivarci con le buone che con le cattive, perché quella è gente che non gioca, e tante volte bisogna abbandonare la superbia, che è uno dei peccati capitali. Quando finalmente se ne va, io e mia madre ci mettiamo a lavorare per la cena della vigilia, senza fare parola di quella visita. Ripetiamo con calma gli stessi gesti di sempre: impastare il pane, versare l'olio, tritare l'aglio, pelare i pomodori, accendere i fuochi, lavare le pentole, lucidare le posate. Andiamo avanti fino a sera senza che lei mi dia nessuna indicazione. Se sbaglio qualcosa, non dice niente, mi lascia fare a modo mio, come se avesse rinunciato a tutte le sue regole. Ogni tanto solleva gli occhi dai fornelli e mi sorride, con una specie di timidezza.

Prima di metterci a tavola, sentiamo bussare di nuovo alla porta. Mi ritornano in mente le parole della perpetua sulle buone e le cattive maniere e mi viene il sangue impaurito. I colpi riprendono, piú forti di prima, mia madre accosta l'occhio allo spioncino ma è troppo buio per vederci qualcosa, mio padre sussurrando ci raccomanda di restare in silenzio come se non fossimo in casa. Alla terza scarica di botte, arriva una voce da dietro la porta. – Aprite, sono io, – ci guardiamo negli occhi, ognuno pensa di stare sognando.

Fortunata appare con lo scialle e i capelli bagnati, i denti che battono senza tregua. Non parla, all'inizio, ha gli occhi piú pesti del buio e trema, forse non solo per il freddo. Ci guarda come un cane mazziato che non sa se potersi fidare di ogni mano che si tende, se nasconde carezza o bastone. Mia madre le offre vestiti asciutti e manda Cosimino a prendere una sedia. Aspettiamo che mangi e che beva, nessuno le chiede, e alla fine è lei che comincia a parlare.

– Quattro anni di inferno, ho patito. Le offese, le botte, gli insulti. Il figlio, me lo fece perdere lui, diceva che non era suo, che l'avevo ingannato, che ero stata una poco di buono a farmi mettere incinta da un altro per prendermi lui. Avevo voluto il matrimonio per forza? Me lo avrebbe fatto vedere lui che cos'era, il matrimonio. Quattro anni chiusa in casa, senza vedere anima, senza scambiare una parola con i miei cari. E io muta. Mia era la colpa se mi ero trovata in quella situazione. Pensavo: sopporta, vai avanti, la femmina forte è quella che sa tollerare. Silenzio, pazienza, dolcezza: sono cose che un maschio apprezza, nel tempo. Quattro anni: lui a fare i propri comodi in giro e io dentro a marcire. Sii superiore, mostrati docile, non ti impuntare, mi ripetevo. Come dicevi sempre tu, papà: chinati giunco che passa la piena. E io cosí ho fatto, ma quando è arrivata l'ultima goccia il vaso è traboccato.

Non sentivo la voce di mia sorella dal giorno in cui è andata sposa, con il vestito che le strizzava i fianchi e i sorrisi tirati dei Musciacco. È stata lí, tutto questo tempo, a sopravvivere al dolore dietro quelle mura, come fosse cosa normale rimanerci seppelliti, nello sposalizio.

– A casa con quello sciagurato si presentò stasera, e in quel momento la pazienza è finita, tutta all'improvviso. «Ospiti a cena abbiamo, moglie: prepara un altro coperto, tuo cognato ha avuto una discussione con suo padre e allora ci fa l'onore di trascorrere la vigilia con noi». Quando me lo sono visto davanti mi è venuto il sangue cattivo. «Cognato? Mia sorella questo qui in tribunale lo porta, mica all'altare», gli ho detto. Musciacco mi ha tirato uno schiaffo e ha risposto: «Tutte uguali, le femmine della tua famiglia: a qualunque cosa siete disposte, per un poco di denaro. D'altra parte lo portate scritto nel cognome». Io non ci ho visto piú, ho fatto il giro della tavola, ho impilato uno sull'altro i piatti del servizio buono di sua nonna, li ho schiantati sul pavimento e ci ho sputato sopra. Lui è ammutolito, non se lo aspettava, non si aspettava da me nessuna reazione, ormai. Sono corsa in camera, ho raccolto quattro cose in una borsa, mi sono gettata fuori dalla porta e ho fatto le scale a rompicollo.

Restiamo a bocca chiusa. Le sapevamo queste cose o non le sapevamo? E se non le sapevamo, le potevamo immaginare? Eppure niente abbiamo fatto, tutti complici delle cose non dette.

– Scusa, papà, mi dispiace, – dice Fortunata, – ma se in questa casa non ci posso restare, io me ne vado in convento, piuttosto che tornare là dentro.

Mio padre fa il silenzio, poi si avvicina a sua figlia e le appoggia un bacio sulla fronte. Quando si china su di lei, si confondono i loro capelli, dello stesso colore. – Abbiamo santificato la vigilia, – dice mia madre sospirando. – Andiamocene a dormire, adesso, ché è tardi, – e sorride con una dolcezza nuova. – Ti preparo il tuo letto –. Si avvia per il corridoio scuotendo il capo, Fortunata e io la seguiamo.

Gli uomini rimangono a parlare in cucina e di tanto in tanto ci arrivano le loro voci. – Gliela devi riportare, – dice Cosimino, – altrimenti andiamo noi dalla parte del torto. La moglie deve stare con il marito, sotto lo stesso tetto, meglio che ci torna con le sue gambe piuttosto che Musciacco viene qua a riprendersela con la forza. Vuoi che vada a finire a coltelli? Di disgrazie già siamo carichi.

Per un po' non si sente nulla, cosí mia madre continua a sistemare le lenzuola. Poi Fortunata accosta l'indice alle labbra e le ferma la mano, arrivano altre parole di Cosimino ma non riusciamo a intenderle.

– Non lo preferisco, – risponde infine mio padre, la sua voce però non è calma come al solito. – Domani ci vado a parlare, e vedi che sistemo ogni cosa. Vai a dormire, resto io qua di guardia.

Sentiamo un trambusto di sedie e sgabelli trascinati sul pavimento e piú nulla, cosí ci andiamo a coricare. La mattina dopo li troviamo entrambi accampati in cucina, che dormono ancora con i vestiti addosso, preparati a difendere la casa e le donne.

Mia madre fa i piedi leggeri e socchiude le imposte, poi ci guarda e arriccia le labbra. Due ne doveva sposare e due gliene sono rimaste in casa. Meglio se fossimo nate maschi come Cosimino, invece femmine siamo e la vita ci si è ingarbugliata addosso.

61.

Da quando è arrivata Fortunata, il tempo ha iniziato ad avanzare piú veloce, anche se la vita è sempre quella di prima. Diamo ordine alla casa, prepariamo da mangiare, sbrighiamo i lavori di cucina, il pomeriggio mi ritiro in camera nostra a studiare e lei qualche volta si offre di sentirmi le lezioni, ma dopo cinque minuti inizia a sbadigliare e si addormenta con il libro in mano. Per fortuna poi arriva Liliana e ripetiamo insieme.

Una mattina viene a farci visita la Scibetta sottile, mia madre la fa accomodare, però le offre la sedia piú scomoda e un bicchiere di acqua e menta, senza latte di mandorla. Inizia a farci il bollettino sui fatti del paese, per filo e per segno. Allo sposalizio di Tindara c'era tutta Martorana, ma il cibo era poco, il vino risciacquato, cosí molti andarono dicendo che, sulla via del ritorno, si erano dovuti fermare dal panellaro o a mangiare un panino con la milza. Don Ignazio non aveva potuto dire messa per due settimane di seguito perché si era preso un malanno alle corde vocali, Nellina si era impuntata di sostituirlo, era dovuto intervenire il vescovo per spiegarle che il giorno in cui le femmine diranno messa sarà quello dopo l'apocalisse. Saro si è messo in bottega con il padre, e adesso va e viene dalla città, dove ha un cliente importante che gli ha affidato tutto il mobilio della casa, e dato che piú di una volta è partito di sera ed è tornato il mattino seguente, qualcuno ha mormorato che, dove ha trovato la fatica, là ha trovato anche il nido...

Io non vedo l'ora che Mena se ne vada, l'unico lato positivo di vivere chiusa in casa da mesi è proprio quello di non sapere piú niente di nessuno, silenziare il perpetuo brusio di chiacchiere cosí come si spegne la radio. E invece lei resta. – Cosimino non c'è? – chiede e getta l'occhio nelle altre stanze. – È andato in corriera in città per trovare lavoro, – risponde mia madre. Mena sospira e riprende il filo delle storie. Rosalina si è ingelosita per il fatto di Saro, perché sotto sotto ci aveva sempre tenuto il pensiero, pare, e si è dimagrita di cinque chili per il dispiacere, tanto che la madre ha dovuto portarla dal dottore Provenzano, il quale disse che di amore non è mai morto nessuno e che, anzi, se ne perde altri cinque, le farà bene alla salute. Musciacco, invece... Mia sorella ha un sussulto e poco manca che le cada di mano il vassoio con il pane fresco e il bricchetto con la marmellata di arance amare. Mena se ne accorge, ma prosegue a sciorinare notizie. Musciacco va dicendo che è stato lui a cacciare via la moglie, che gli aveva estorto il matrimonio con la menzogna. Fortunata sbatte il portavivande sulla tavola e corre a chiudersi in camera.

Mena le corre dietro, mentre mia madre e io la tratteniamo. – Non volevo darle un dispiacere, – si lamenta con gli occhi rossi. – La volevo rassicurare, invece, che niente ha da temere, che non ci saranno ritorsioni da parte di Musciacco. Dopo tutto quello che ha subito, finalmente è una donna libera. Deve essere contenta.

La guardo in silenzio, senza capire se è sincera. – Ma libera di che? – dico alla fine. – Libera di essere considerata una poco di buono? Una che si è rubata un cognome con l'inganno? Una che è stata ripudiata dal marito? La chiami libertà, questa, Mena?

Lei mi alza gli occhi in viso, serra le mascelle, e le guance magre si fanno ancora piú spigolose. – E che altra possibilità abbiamo, Olí? Quella di rimanere zitelle, come me? È libertà, invece, questa? Sono libera io, secondo te? Sono contenta? Non mi indicano per la via, come a te, come a Fortunata, come a Tindara, come a Rosalina? Ogni femmina il suo peccato. Almeno tua sorella è uscita dal tormento, se ne può andare in un altro posto, si può rifare una vita. Il matrimonio si scioglie, figli per fortuna non ce ne sono...

Lascia la frase a metà e lentamente si accascia sulla sedia scomoda, forse si è ricordata del pancione di Fortunata, male camuffato dall'abito da sposa, e adesso si pente di quello che ha detto. Povera Mena, all'improvviso mi fa tenerezza, lei almeno, a differenza di tanti altri del paese, non è convinta di avere la risposta sempre in bocca. Non è cattiva, non è peggio di me. Siamo tutte giuste e tutte sbagliate.

62.

Da un giorno all'altro è venuta primavera. Nel campo di mio padre, fin da quando ero piccinna, questa stagione è sempre stata una festa perché le piante iniziavano a rendere pian piano i frutti di quello che avevano ricevuto: il seme, l'acqua, il concime, la potatura, l'antiparassitario, la luce, il calore. Ora il giardino è muto di colori e di profumi, e insieme alle piante anche la primavera manca, pure dentro di me.

Mentre facciamo i lavori di ricamo, accendiamo la radiolina, l'unica cosa che Fortunata aveva portato con sé dalla casa di Musciacco, io canto a squarciagola e lei mi insegna i balletti delle Kessler che aveva visto alla televisione. Lei è alta e bionda come Alice ed Ellen, io piccola e nera come il corvo. Ci posizioniamo a specchio al centro della cucina come due gemelle sbagliate, ci prendiamo sottobraccio e facciamo *dadaumpa, dadaumpa, dadaumpa*, schiocchiamo le dita all'unisono e cantiamo *dadaumpa, dadaumpa, um-pà*. Mia madre dice che siamo rimaste due piccinne e che ancora non abbiamo messo la testa a bene intendere, però qualche volta si poggia una mano sul fianco, flette una gamba all'indietro, si unisce al balletto, e insieme a noi fa *dadaumpa, um-pà*.

Una mattina, mentre cantiamo *Quando, quando, quando* e facciamo bollire le arance per la confettura, bussano alla porta: è l'ufficiale giudiziario con la notifica di comparizione per la prima udienza. Lo facciamo entrare, spegniamo la radio e non la accendiamo piú.

Il tempo si è di nuovo messo al brutto, pare che sia tornato l'inverno, non ho voglia di studiare e i miei libri restano chiusi sullo scrittoio. Tutto quello che riesco a leggere è l'ultima lettera di Maddalena a voce alta mentre lavoriamo a maglia. Dice che Fortunata è stata coraggiosa a venirsene via e che dovrebbe sporgere denuncia ai carabinieri per le violenze che ha sofferto. Aggiunge che, fino a quando non avremo la legge sul divorzio, per le separate non sarà facile rifarsi una vita, ma le cose presto cambieranno proprio grazie a noi donne del Sud, che abbiamo subito di piú e adesso abbiamo maggiore desiderio di riscatto. Io sono favorevole al riscatto. Al termine della lettera, propone a mia sorella di trasferirsi per qualche tempo da una sua compagna che abita in città e la aiuterebbe a trovare un lavoro.

Fortunata abbassa gli occhi sul gomitolo che ha in grembo. – Io non sono capace di fare nulla da sola, nemmeno di attraversare la strada. Come faccio ad andarmene di qua? E che lavoro potrei fare? Tu almeno sei andata a scuola, io sono passata dalla casa di nostro padre a quella di Musciacco e di vita ne conosco pochissima.

Seguita a sferruzzare e a srotolare il filo muovendo le mani in una danza rapidissima. – Mi dispiace, Olí, – si scusa, – ma non posso andare dal maresciallo Vitale. Tu sei forte, io non sono come te, – e lascia scivolare i ferri da sotto le ascelle.

Le tolgo il lavoro dalle mani e recupero alcune maglie che le erano sfuggite. – Nemmeno io ero come me, prima, – rispondo. – Tieni, ti ho ripreso i punti, – le restituisco i ferri, – cosí non resta il buco.

Una settimana dopo, Fortunata, con il cappotto della domenica di mia madre e il borsone di tela logoro che l'aveva accompagnata in nave durante il suo viaggio di nozze, va a prendere la corriera per andare a stare in città dall'amica di Maddalena. Con il cappellino e un'ombra di rossetto è tornata bella, come quando da ragazza io dovevo seguirla ogni volta che metteva piede fuori casa. Ma stavolta di casa è uscita da sola: a passi svelti si è allontanata verso lo stradone ed è sparita. Prima di andare, mi ha abbracciata e mi ha detto: – Vedi? A furia di fare *dadaumpa* insieme come le gemelle Kessler, sono diventata uguale a te.

63.

Fa freddo, questa notte. Il letto di Fortunata, dall'altra parte della stanza, è vuoto e il mio mi respinge da ogni lato. Le regole del sonno sono: stenditi supina, respira a fondo e chiudi gli occhi. Ma il pensiero di domani non mi lascia in pace appena serro le palpebre. Il sonno arriva e poi scappa di nuovo, immagini confuse mi riportano sveglia: il rosso dell'arancia che si spande sul bianco dei pantaloni, il fischio che arriva dalla strada, gli occhi che seguono i miei passi, mani che mi tengono con forza, un punto al centro del mio corpo che si lacera, il sangue che impregna le lenzuola, i libri di Liliana dalla sovraccoperta consunta, Fortunata che batte alla nostra porta con le nocche scorticate e la pioggia nei capelli, i gelsomini, la rosa, le margherite, le nuvole a forma di marfoglio bicornuto, Alice che si perde inseguendo il coniglio, e quello la conduce in una stanza buia, le regala uno scialle di seta, Alice scappa nella notte mentre i colpi dei carabinieri si fanno piú vicini, l'avvocato Sabella richiude la sua borsa nera e la regina di cuori mi condanna: tagliatele la testa!

Riapro gli occhi e mi detergo il sudore dal viso, ho la schiena umida e un dolore alla mandibola. In bagno lascio colare acqua fredda sul collo e sui polsi. La casa è tutta silenzio, afferro la lampada che usiamo per andare a lumache, disserro l'uscio e mi incammino nella terra. Mi spingo fino al punto in cui c'era l'olivo, prima che andasse anche lui in malora, dove un pomeriggio Franco mi conobbe il viso, mi inginocchio e a mani nude nella terra prendo a scavare. Rimango china nell'ombra fitta a sentire il peso dell'umido calarmi sulle spalle finché non riesco a toccare il ruvido del pellame, mi si sfaldano le unghie, gratto ancora e disseppellisco la vecchia borsa di cuoio mezza ammuffita. Smorzo la lampada e con il buio me ne torno dentro, con le mie cose in braccio.

Sciolgo le fibbie della cartella, quasi mangiate dalla ruggine, e dispiego l'involto pieno di macchie scure. Al centro, protetto dalla pioggia e dalla terra, ci ritrovo il vestito della festa del patrono. Lo poggio sul letto, netti sono i ricami e cosí anche la stoffa. Il tempo che è passato da quel giorno ha consumato me, ma lui è rimasto incolume. Dal cassetto del ricamo tiro fuori ago e filo, mi siedo sul bordo del letto e, avvicinando il viso alla luce fioca del comodino, faccio passare il cotone attraverso la cruna dell'ago e all'estremità opposta pratico un nodo. Accosto i lembi e rimargino lo strappo con punti minuti e invisibili, come mi ha insegnato mia madre. Risalgo lungo la stoffa lacerata, che sotto le mie mani sembra tornare integra, anche se non lo è piú. Alla fine con le forbici recido il filo.

Mi tolgo il pigiama e mi figuro che sia la notte prima delle nozze, l'ultima trascorsa da sola con il mio corpo intatto, prima che diventi di proprietà di un uomo, esposto al suo piacere. Mi sfioro le braccia, il seno, il ventre, i fianchi, tocco le cosce, le ginocchia, le caviglie, i piedi, dito per dito. Sono cresciuta un poco in altezza dal tempo di quel ballo, ma di fisico sono rimasta uguale, forse piú magra. A uno a uno slaccio i bottoni del vestito e lo indosso. Scosto l'asse mobile del letto, estraggo la collana di corallo che mi donò Liliana, raccolgo i capelli sulla testa e me la allaccio al collo. Attraverso la mia stanza a passi lenti, come fossi diretta all'altare, mentre la musica degli sposalizi mi accompagna nella mente.

Vuoi tu, Oliva Denaro, non essere mai sposa: nella gioia e nel dolore, in salute e in malattia, in miseria e dignità, sola per tutti i giorni della vita tua? Finché morte da questa Terra non ti separi? Lo vuoi?

Lo voglio?

Quando mi sveglio, al mattino dopo, ho ancora addosso l'abito bianco del mio primo ballo.

64.

In cucina mi aspettano seduti intorno al tavolo. – Sono pronta, – dico, – andiamo a prendere la corriera –. La paura della notte scorsa mi è scivolata fuori dal corpo come quando la vasca si svuota e la sporcizia defluisce verso il tubo di scarico. Il vestito è tornato nell'armadio e sotterrata ai piedi dell'olivo è rimasta solo la mia vergogna.

– Non c'è premura, – mi avverte mio padre, – ci accompagna Calò con l'automobile, ci aspetta insieme a Liliana in fondo allo sterrato alle dieci precise.

Siedo tra loro, spezzo un pane raffermo, lo immergo nel latte mischiato al caffè e ci lascio scivolare sopra lo zucchero: è un giorno come gli altri.

– Io resto a fare compagnia a mamma, – mi comunica Cosimino lisciandosi i baffetti, – ché tutti in macchina non c'entriamo. Poi, quando torni, mi racconti pelo pelo, come facevi con la storia di Giufà, – e mi appoggia una mano sulla spalla. Si è fatto alto, il suo corpo magro e lungo sembra un ombrello per ripararsi dal cattivo tempo e dal sole forte.

Finisco di masticare l'ultimo boccone e mia madre si china sulla tavola per radunare posate e stoviglie e deporle nell'acquaio. – Ti ho preparato i panni buoni, – dice, come se mi stesse salutando prima di mandarmi a scuola.

– Stai tranquilla, mà, mi mantengo pulita.

Apre il rubinetto e inizia a sciacquare le scodelle, poi si interrompe, serra la manopola. – Non c'è bisogno: tu sei sempre pulita, – sfrega le mani sul grembiule e me ne posa una sulla guancia, un poco umida. – E ricordati: chi ha la lingua passa il mare. Tutto gli devi raccontare al giudice, senza imbarazzo, come lo dicesti all'avvocato. Tra qualche mese, se il Signore Iddio ci assiste, ti diplomi maestra e conosci piú parole in latino tu di quante ne sa in italiano quel disgraziato che ti ha fatto offesa. Tutto quello che hai studiato devi cacciare fuori!

Mio padre e Calò siedono davanti, io e Liliana ci sistemiamo dietro. La strada per la città è lunga e piena di curve, la mia amica mi stringe la mano e chiacchiera delle materie da studiare e dell'esame che faremo all'inizio dell'estate. Faccio finta di ascoltarla e di tanto in tanto rispondo a monosillabi alle sue domande. Piú ci allontaniamo dal paese, piú ho il sangue spaventato, come se gli incubi di questa notte dovessero avverarsi.

Calò ferma la macchina in una piazza che è grande quanto tutta Martorana. Davanti a noi si alza un palazzo fatto di tre corpi: i laterali sono tutti a finestre, mentre quello centrale è sorretto da colonne altissime, come un tempio degli antichi Greci. Lí dentro deve abitarci qualche divinità, mi trovo a immaginare. Attraversiamo lo slargo fino alla scalinata che dà accesso all'edificio, sollevo gli occhi verso il cielo e leggo: GIUSTIZIA, a caratteri cubitali. Speriamo, mi dico, e incomincio a salire. Liliana mi legge nel pensiero: – Questa non è ancora giustizia, – mi sussurra all'orecchio mentre attraversiamo il portone principale, – un giorno questa legge che dà ragione agli aggressori io la farò cambiare, te lo prometto, aggiunge con voce piú alta, che riecheggia nell'androne.

– Un giorno, – ripeto io, – un giorno... ma io sono qua adesso.

Non riesco a dire altro, perché mio padre mi trae a sé per prendermi a braccetto e ci avviamo verso lo stanzone. Calò e Liliana camminano di fianco, lui da un lato, lei dall'altro.
– Oliva, non provare timore: è come andare a babbaluci, – dice mio padre, – ci vuole pazienza e intelligenza, perché pure i molluschi, cosí come certi individui privi della colonna vertebrale, hanno un talento: quello di nascondersi per non farsi pigliare. Però è talento da vigliacchi.

Calò si avvicina all'usciere e gli dice due parole. Quello abbassa gli occhi su un registro, solleva il braccio destro e gli indica un corridoio. I tacchi di Liliana battono sui marmi e il rumore rimbomba sotto gli alti soffitti. Io cerco di fare i piedi leggeri nei miei mocassini bianchi e mi torna in mente il momento in cui nel mezzo della piazza, sotto una scure di sole, mi arrestai di colpo con il tacco della scarpa in mano. Adesso, pur volendo, non potrei tornare indietro.

Entriamo nell'ascensore e Calò preme l'indice sul cilindretto bianco con il numero tre. Quando si muove mi si arricciano le carni, come quel giorno sulla corriera.

– È l'aula dodici, – dice Calò, e si incammina davanti a noi. Accanto all'ingresso ci sono due donne che parlano fitto. Una porta la giacca da uomo e i pantaloni, appena mi vede scopre i denti della bella bocca carnosa. L'altra ha una coda di cavallo e un po' di matita intorno agli occhi.
– Stai bene con i capelli tirati indietro, – dico a Fortunata. Lei sorride e si passa una mano sulla tempia, per ravviare una ciocca. – L'avvocato è già dentro, – ci avverte Maddalena. – Andiamo.

Mio padre e io attraversiamo l'aula sottobraccio, pare una chiesa: le due file di panche di legno disposte lateralmente, il crocifisso in fondo. Un uomo in toga nera entra nell'aula e va a prendere posto dietro lo scranno, tutti ci alziamo in piedi.

Sabella mi accoglie con una stretta di mano, estrae dalla borsa nera una cartellina piena di documenti, ha l'aria stanca, come se avesse patito l'insonnia anche lui, stanotte. Io invece mi sento forte, all'improvviso, il mio respiro è lento, le mani asciutte, lo sguardo alto. Intorno a me ci sono mio padre, Calò, Liliana, Maddalena: ma io non sono qui per loro, l'ho fatto per me stessa. Dall'altra parte della sala c'è la difesa: tre uomini in abito scuro e al centro uno vestito di bianco, i capelli lisciati con la brillantina ma senza il ciuffo di gelsomini dietro l'orecchio destro. È bello, è vero, avevano ragione le compagne. Quasi un anno è trascorso e in lui niente è cambiato. Io sono andata avanti e lui è rimasto fermo. Anche per questo le nostre vite non si incontreranno piú.

Nell'attimo in cui mi vede, smette di sorridere spavaldo e mi fissa, il suo sguardo mi pesa ma non ha piú il potere di rendermi bellissima o invisibile. Niente da qui in avanti potrà mai piú toccarmi e, quello che ho perso, l'ho perso per sempre: correre a scattafiato con gli zoccoletti ai piedi, immaginare i nomi delle nuvole, girarmi nella mente i termini latini, raffigurare a carboncino le divinità del cinema, indovinare l'amore nei petali di un fiore.

Parte quarta

1981

65.

Hai voglia a lasciare il paese, è il paese che non lascia mai te. Cosa diversa è piantare talee, altra cosa è coltivare il tuo giardino. A partire non ci metti niente, ma poi a ritornare è lungo.

La strada è piena di curve e passa a filo del mare, che sempre mi ha dato timore, e a tuo fratello gli piace di correre, se prima arriviamo ci dànno un premio, hai capito? E la moglie nemmeno gliene dice, mica come tua madre, che di parole non ce ne ha mai fatte mancare. «Ti piace la macchina nuova, papà?» mi ha chiesto Cosimino prima di partire. Ho mosso la testa per fargli piacere. «Vuoi provare a guidarla?» e ha aperto lo sportello. «Non lo preferisco», ho risposto, lui si è messo al volante e non si è piú spostato dalla corsia di sorpasso. «L'asino che corre si spacca la schiena», ho detto. Lui non mi ha neanche sentito: ha guardato sua moglie e si è acceso una sigaretta, e con questa fanno una cinquantina da quando ci siamo mossi da Rapisarda.

Amalia si aggrappa alla maniglia sotto al tettuccio, come se andasse in corriera, e sorride a Lia, che è seduta in mezzo a noi due. – Ti stai facendo bella, – dice alla nipote, e le scosta la frangia dagli occhi. Lia scuote la testa e i capelli le tornano spettinati sul viso. Amalia sospira, si porta il fazzoletto alla fronte e si asciuga il sudore: anche a lei è fatica tornare. Ci siamo piantati in un altro terreno come due rami spezzati, ho messo su l'orto con le talee che avevo tagliato dal precedente. Le piante nuove sono cresciute, invece ai cristiani hai voglia a darci acqua e calore, la nuova radice non scava mai a fondo come la vecchia, ti pare? Chi sta nella terra rimpiange la sua, anche quando gli diventa straniera.

Dopo il tuo processo, nel paese si erano divisi in due voci: bene fece, male fece. Le chiacchiere ci salivano sopra alle spalle ogni volta che uscivamo per strada. Tu: zitta. Ti svegliavi la mattina per studiare, ti coricavi la sera dopo aver ripassato. Veniva Liliana, vi chiudevate in camera e guai se ronzava una mosca per casa. Ti eri fatta selvatica, come dopo la scarlattina, ricordi? Avevi nove anni, in un giorno ti ricopristi di macchie rosse come teste di spillo, ti portavamo il poco di minestra che riuscivi a ingoiare e la ricottina fresca da parte della Scibetta dentro la tua stanza, per non infettare Cosimino che era piú deboluccio di te. La febbre era alta, soffrivi il prurito in tutto il corpo e tua madre fece il fioretto alla Madonna dei miracoli di andare ogni giorno alla prima messa, se ti rimettevi bene. Dopo tre settimane ne uscisti senza macchia, con le ossa di fuori e i segni neri sotto gli occhi, ma diritta. Tutti i piccinni del paese restavano a casa per la paura dell'infezione e tu da sola andavi per strada.

Fuori dal tribunale avevi l'identica espressione. Camminavi senza fare parola, da tutti quelli che si avvicinavano non ti lasciavi toccare, manco potessi dargli il contagio. Al processo fecero tutti la faccia della meraviglia: non lo potevano sapere che dietro la pecorella nascondevi il leone. Rispondesti a voce ferma come all'interrogazione della maestra. Nossignore: non c'era accordo tra di noi. Nossignore: non c'era stata promessa. Nossignore: non le gradivo, le sue attenzioni. Nossignore: non me lo voglio sposare. Il giudice non si poteva capacitare che quel matrimonio tu lo disprezzavi.

Dire di sí lo sa fare anche l'asino, il no invece costa fatica, ma quando inizi non la smetti piú. È l'unica cosa che sono stato capace di insegnarti e da quel momento fu no per tutti. No per tua madre che ti voleva cercare un altro partito, no per qualcuna delle vecchie amiche che ti veniva a fare visita, no per la Scibetta, che si offrí di prenderti a servizio in casa sua. Divenisti scontrosa, avara di parole. Il giorno che iniziarono gli esami ti avviasti di buon'ora per lo stradone senza avvisare nessuno e ti ritirasti dopo pranzo. Tutto bene, dicesti, tutto bene. Il giorno dopo partisti con il vocabolario di latino, al ritorno mangiasti poco e sparisti in camera tua. Poi una mattina venne Liliana per accompagnarti a fare la prova orale e ti chiese se eri emozionata, tu rispondesti col sorriso amaro: «Dopo quello che ho ricevuto in tribunale, nessun giudizio mi fa piú spavento».

Fosti promossa a pieni voti, tua madre preparò la pasta con le sarde e ci mettemmo a tavola con i vestiti nuovi. Entrasti in cucina e ci guardasti scura in viso. «Non tengo appetito», dicesti. «Ma oggi è un giorno buono, dobbiamo festeggiare», tua madre ti riempí il piatto e si lisciò la stoffa della camicetta sui fianchi. «I giorni buoni per me sono passati», e ci lasciasti.

Cosimino supera un'altra macchina nella curva, e sono trecentoventisette. Amalia resta aggrappata alla maniglia, tale e quale a una pianta rampicante, e con la mano libera mi indica il contatore della velocità. – Vai piano, dico dal sedile posteriore, Cosimino per tutta risposta dà di clacson a quello davanti. Ma che cosa può fare un padre, dimmi, per salvare i suoi figli?

Poi Amalia si batte il palmo sulla fronte: – Che figura meschina, Salvo, non abbiamo portato proprio niente, – si rammarica. – Nemmeno le paste.

– Al dolce ci pensa lei, cosí ha detto al telefono, – la consolo. Dal nostro giardino, però, ho raccolto dei fiori, che sempre ti sono piaciuti.

66.

C'è da prendere i fiori.

C'è da comprare il pane, c'è da dare aria alle stanze, da far scattare i perni dell'intelaiatura per allungare il tavolo, da chiedere in prestito le sedie dalla signorina Panebianco. C'è da andare in pasticceria, alla fine.

Di fiori in casa per anni non ne ho voluti piú: a coltivare le piante erano sempre state le tue mani, pà, il marrone sotto le unghie, i tagli piú profondi e piú sottili sui polpastrelli, un manuale su come tirare fuori la vita dalla terra. Piantare il seme e aspettare che germogli, anche io ho fatto cosí: mi sono inumata senza sapere se poi ritornava il tempo di rimettere gemme. Ero una zolla riarsa e isterilita, come il tuo campo guastato dall'acqua e dal sale, piú niente sarebbe fiorito dal corpo mio sradicato. Il giorno del diploma, entrai in casa e vi trovai con gli abiti della festa, sentii pena per tutti quanti noi. Voi eravate felici e io triste, perché quello sarebbe stato il giorno migliore della mia vita. Non avrei avuto altro. Non c'era stata per me giustizia, non ci sarebbe stato il pizzo del velo bianco a solleticarmi il collo, non l'anello a scivolare sul dito, non la carezza di un uomo innamorato, non la tranquilla pienezza del ventre teso nella concentrazione della gravidanza, non una piccola mano spugnosa poggiata al centro della mia.

Andare via da Martorana è stato come volersi staccare l'ombra di dosso, il senso di ingiustizia e di vergogna non si dissolvono camminando per altre strade. Ci vuole il suo tempo, ci vogliono altre voci che si sommano alla tua, ci vuole la partenza e anche il ritorno. Perché tempo buono e malo tempo non durano per sempre, me lo dicevi sempre tu.

Per questo stamattina mi sono svegliata presto. Metterò il rossetto nuovo, un vestito di cotone bianco, i sandali turchesi, con cura apparecchierò la tavola, cucinerò la pasta con le sarde e festeggeremo, dopo quasi vent'anni, la mia promozione a pieni voti. Festeggeremo anche l'immissione in ruolo, i nostri silenzi, le telefonate troppo brevi, i compleanni di ciascuno, tutte insieme le feste comandate, le ricorrenze familiari, un divorzio e alcuni matrimoni, la testardaggine, infine, di voler essere qui, nel mio paese, per tutto questo e nonostante tutto.

Ci sono ancora molte cose da fare. Scendo le scale, mi affaccio al portone e per un attimo resto: l'aria impastata di salsedine e calore mi secca il fiato nella gola.

67.

Hai voglia ad abbassare il finestrino: è piú il calore che entra insieme all'aria salata del mare, e nemmeno una nuvola a portarci un goccio di pioggia. Quando eri piccinna aspettavi il temporale per andare a fare i babbaluci, ma quello tardava per giorni e tu rimanevi delusa. Pentola guardata non bolle mai, ti avvertivo. Lo stesso ti dissi dopo il processo: soddisfazione non ne hai ricevuta però hai seminato bene, e dalla terra coltivata qualcosa sempre nasce.

Mentre leggevano la sentenza, quello là se la rideva, manco fosse una commedia con Franco e Ciccio. Il minimo della pena: ma è mai possibile? Una donna con i capelli del colore della stoppa, Angelina Verro si chiamava, non me lo posso mai dimenticare, testimoniò che non ti aveva sentito lamentarti o combattere dalla stanza accanto. La paura e lo schifo si misurano a urla e strepiti in questo mondo, hai capito niente? Venne assolto dall'imputazione di «violenta congiunzione» – cosí disse il giudice – per mancanza di prove. E che prove volevano? Non basta la parola di una ragazza onesta? Non basta il coraggio di raccontare davanti a tutti i fatti suoi? Qualcuno venne a riferire al giudice che ti aveva visto ballare con lui, che lo avevi incoraggiato. Si disse che tu lo volevi e io invece mi ero messo di traverso e ti avevo promessa a un altro. Per questo ti aveva fatto prendere con la forza: tutto per amore aveva fatto, nientedimeno, quel bravo giovane, perché secondo il signor giudice rubare una ragazza per strada è cosa di innamorato, non di brigante. Avrei voluto vederlo se la stessa cortesia gliel'avessero fatta alla bambina sua. Falsi testimoni convinti a suon di musica – che a quello i soldi non gli facevano difetto – dissero che tu gli avevi dato parola piú di una volta, che lui ti aveva offerto un'arancia e tu avevi risposto di sí. E se pure fosse stato vero, dimmi tu: accettare il frutto significa volersi prendere tutto l'albero?

– Salvo, quando arriviamo? Ho lo stomaco in subbuglio, – si lamenta Amalia. Si è sfilata le scarpe e ha iniziato a massaggiarsi un piede. «Tra una ventina di sigarette e altri centocinquantasei sorpassi a clacson spiegato, se tutto va bene», vorrei rispondere, invece le appoggio una mano sul collo, dove so che le si raccoglie il dolore. Lo stesso gesto che feci quel giorno. L'avvocato difensore, Criscione, aveva fatto domande scabrose e aveva richiesto la perizia medica al dottor Provenzano sul tuo stato fisico intimo, ma tu la rifiutasti. Il processo pareva che lo facessero a te. Ci guardammo in faccia, io e Amalia, pensavamo di stare sognando. Non mi posso mai dimenticare la risposta che diede Sabella a quel giudice: io sono l'avvocato dell'accusa, disse, mica della difesa. La mia assistita non è venuta qua a dimostrare la sua innocenza o la sua onorabilità, ma a denunciare una violenza ricevuta.

Per fortuna si presentò a testimoniare don Santino, il padre di Tindara, e solo per questo, alla fine, ci fu la condanna. Non tutto il paese ci era nemico e pure la notte piú buia la sua stella ce l'ha. Quando il giudice finí di leggere la sentenza, sembrava il mercato: chi applaudiva, chi fischiava, chi gridava. «La montagna partorí il topolino, – urlò quello là mentre lo portavano fuori. – Che cosa avete ottenuto? Tanto rumore per niente», disse agitando la mano a coppino.

I nervi del collo di tua madre sono un groviglio di radici che si stendono a mano a mano sotto le mie dita. – Un altro poco di pazienza, – le dico per farle piacere, anche se il viaggio è lungo ancora, e, se devo dirti la verità, non mi dispiace. Chi torna dopo tanta lontananza deve riprendere confidenza con ogni pietra, ogni filo d'erba, ogni crosta di terra inaridita dal secco del vento. Tua madre tira fuori il lavoro di cucito dalla borsa e subito lo abbandona, mi guarda come per dirmi qualcosa, poi ci ripensa e si gira verso il finestrino. Cosimino ruota la manopola della radio per trovare il radiogiornale, la moglie gli ferma la mano: – Lascia questa, mi piace, – dice, e comincia a cantare.

– *Donatella è uscita e a casa non c'è, è scoppiata, è sparita non sta piú con me…*

È un poco stonata ma lui le sorride e aspetta che il pezzo finisca prima di cambiare stazione. La figlia invece prende dallo zainetto un piccolo mangianastri portatile e lo collega alle cuffie. – Lia, sempre con quell'apparecchio nelle orecchie! – la rimprovera Mena. La ragazza non risponde, sta ascoltando già un'altra musica.

68.

Mi avvicino ai vetri e picchio con le nocche. La signorina Panebianco arriva dopo qualche secondo e abbassa il volume della radio. «Non capisco perché tutti quanti continuano insistentemente a chiamarmi Donatella...»

– È oggi, – le dico.

– È tutto pronto, bella mia, ti ho messo da parte le sedie pieghevoli, viene a prenderle Rosario?

– Sí, grazie, passa piú tardi... – Resto a fissare le tendine rosa della finestra.

– C'è qualcos'altro che ti serve, Olí? Ho fatto una buona crostata con la frutta fresca, se vuoi favorire...

– Vi ringrazio, donna Carmelina, ma al dolce provvedo io.

– Sei sicura? – Nella sua voce c'è un'increspatura di apprensione, la stessa che ho sentito ieri al telefono nel tuo silenzio, pà. Anche da lontano riesci a preoccuparti senza dire parole. – Ci sto andando proprio adesso, – rispondo, la saluto e mi incammino verso la parte vecchia del paese, dal lato opposto a dove abito adesso.

La mia casa è sul mare e forse non ti piacerà, ma dirai che va bene, lasciandomi sempre la libertà di fare a modo mio e il dubbio di aver sbagliato. Manca la terra intorno, lo vedrai subito, d'altra parte ne hai avuta cosí tanta che oggi un po' di salsedine ti donerà appetito. Mi lascio il lungomare sulla sinistra e inizio a inerpicarmi verso il centro antico. Mai la salita mi è sembrata cosí lunga, e dopo un po' sento i piedi dolermi. *Rosa, rosae, rosae*, ripetevo in mente da ragazzina risalendo dal mare verso casa per non sentire la fatica, quando credevo ancora che le belle parole avrebbero vinto ogni ingiustizia, ogni dolore. Se avessi ancora quell'età mi sfilerei le scarpe per il solletico del lastricato sotto le piante dei piedi. Ma il tempo passa e non sempre invano: ho messo tanta lontananza tra me e quella ragazzina scalza e spettinata che non saprei parlarle se la incontrassi oggi, cosí come non saprei parlare a una figlia. Perciò, invece del latino, prendo a cantare a bocca chiusa quella canzone che mi è entrata nella testa: «Donatella era una, non cercarla quaggiú, se c'è stata è cascata, spappolata nel blu». Mi sporgo dal belvedere e getto un'ultima occhiata al bianco delle onde, prima di infilarmi nel paese vecchio, pestando a tempo di musica sul selciato le suole dei sandali turchesi. Li comprai a Sorrento, insieme a Maddalena, una primavera di sette anni fa.

Eravamo arrivate da Napoli con la circumvesuviana e ci smarrimmo tra le stradine profumate di limoni e gelsomini. Maddalena si avvicinò alla bottega di un ciabattino alle cui pareti erano appesi scampoli di pellame conciato, di forme e colori vari.

«Questi turchesi?» propose indicando un modello intrecciato sul collo del piede.

«Troppo vistosi, andrebbero bene per Liliana, non per me», dissi e mi avviai fuori dal negozio.

«Buona idea: prendiamoli, glieli mandiamo a Roma. L'ultima volta che l'ho sentita mi ha detto che è molto preoccupata per l'esito del referendum sul divorzio...»

«Mi dispiace per lei, – la interruppi, – ma ognuno ha le sue preoccupazioni. E poi forse a lei i sandali nostri non servono, ha già tutto quello che voleva, è perfino arrivata in parlamento insieme a Nilde Iotti, come desiderava fin da ragazzina».

«E che vuol dire? – Maddalena smise di sorridere per un momento. – Anche tu hai quello che vuoi: ti sei diplomata, hai preso il ruolo come maestra, sei indipendente. Però non hai avuto giustizia, e la giustizia è un'altra cosa, una cosa che non riguarda né te né me. Fino a che non c'è giustizia non si può essere veramente liberi. Liliana sta portando avanti una battaglia per tutte le donne...»

«Le donne! Ma perché devono essere sempre declinate al plurale per ricevere considerazione? Agli uomini basta essere uno per valere qualcosa, con nome e cognome. Noi invece dobbiamo metterci in riga a formare una schiera, come fossimo una specie a parte. Io non voglio militare in nessun esercito, Maddalena, non voglio stare sotto nessuna bandiera: associazioni, partiti, gruppi di attiviste non mi interessano. Io non sono come te e Liliana, non voglio fare politica. Quello che è successo a me, me lo piango io sola. Quello che mi fece Paternò quando avevo solo sedici anni...»

Era la prima volta che pronunciavo il suo nome. Cavare fuori quelle sillabe dalla gola fu come dare consistenza a un fantasma e regalargli un'identità. Il vento era calato all'improvviso e il sole pareva concentrarsi tutto in un punto sulla mia nuca. Vacillai, come se mi avessero sfilato la spina dorsale, e fui costretta ad appoggiarmi al muro esterno della bottega, scivolai lungo la schiena fino a raggiungere il selciato. Incrociai le gambe come l'indiano che riposa e rimasi a incamerare il fresco della pietra. «Perché per noi è difficile, Maddalena? – chiesi, tenendo gli occhi chiusi per negare alle lacrime la via d'uscita. – Perché abbiamo bisogno di battaglie, di petizioni, di manifestazioni? Di bruciare reggiseni, di mostrare mutande, di implorare di essere credute, di controllare la misura delle gonne, il colore del rossetto, la larghezza dei sorrisi, l'impellenza dei desideri? Che colpa ne ho io, se sono nata femmina?»

Il corpo di Maddalena venne ad accucciarsi accanto al mio e restò immobile per alcuni minuti.

«Sono stata al matrimonio di mia figlia, lo sai?» disse alla fine. Le mie palpebre si sollevarono da sole, senza impulso.

«La settimana scorsa. Mi ha presentato il marito e tutti i parenti. Ha detto: questa è mia madre. E lo sai che cosa hanno risposto? – Feci di no con la testa. – Hanno sgranato gli occhi e hanno chiesto: un'altra?»

«Non mi avevi detto niente...» obiettai.

«Una mattina di tanti anni fa, dopo il tuo processo, – mi raccontò, – trovai il coraggio di fermarla all'uscita dall'università, e le parlai».

«E lei come reagí?»

«E come doveva reagire? Male: non voleva saperne di me e per molto tempo non ho avuto piú sue notizie. Pensai di aver commesso un errore tremendo, e per questo non l'ho raccontato a nessuno».

Perfino Maddalena, che non ha paura di niente, ha dovuto fare i conti con la vergogna, pensai, come tutti quelli che subiscono un torto.

«Qualche settimana fa, è stata lei a venire da me, – continuò. – Erano passati dieci anni dall'ultima volta che l'avevo vista, ma la riconobbi subito. Aveva portato con sé un album di fotografie: c'era lei da bambina, poi da ragazzina, da adolescente. Ho guardato quelle immagini avidamente per poterle incamerare, tutta la vita che mi ero persa rimaneva attaccata alle pagine di quel librone. Era venuta a cercarmi perché si era accorta che in alcune di quelle foto aveva lo stesso mio sorriso. Disse che quando fosse nato il suo bambino gli avrebbe raccontato tutta la storia».

«Quindi presto sarai nonna?»

«Terza nonna, per la precisione».

Mi alzai e le offrii il braccio per tirarsi su. Dall'antro a fianco a noi si sentiva il ciabattino battere su minuscoli chiodi. Maddalena si sporse nella bottega e poi si girò verso di me. «Ce li facciamo fare uguali, i sandali?» mi chiese. Mezz'ora dopo camminavamo all'ombra degli alberi di limone. «Me ne torno a Martorana, – decisi all'improvviso, – nella scuola dove ho imparato a leggere e a scrivere. È là che voglio insegnare».

«Lo so, – fece Maddalena, – e anche questo è fare politica», sorrise.

Eccomi qua, in cima alla salita, all'imbocco dello stradone che porta alla piazza. Sono sicura che stamattina anche Maddalena avrà indossato i sandali turchesi per festeggiare la nostra vittoria.

Avevi ragione tu, papà: ogni cosa viene per chi sa aspettare.

69.

– Ogni cosa viene per chi sa aspettare, – dico a tua madre, che mi chiede di nuovo: quanto ci manca e quando arriviamo e apri e chiudi il finestrino. Infilo due dita nel colletto della camicia, che è umido di sudore, e allargo il nodo della cravatta. Lei raggrinza le labbra, come ogni volta che cerca da me una risposta che non ho. Ma è mai possibile che un uomo, un padre di famiglia, solo perché porta i pantaloni in casa, cosí si diceva una volta, deve sapere qual è la cosa giusta per tutti? Io sono un contadino e quello che conosco è piantare il seme e aiutare la pianta a venir su nonostante il tempo secco, la pioggia improvvisa, il vento forte. Metto un sostegno quando è debole e tengo lontani i parassiti che la possono fiaccare. Ma poi la pianta, se trova la strada, cresce da sé.

Decidesti di partire per Napoli e prendere il ruolo nella scuola, che cosa dovevo fare? Ti accompagnammo al porto, Liliana ti fermò davanti alla scaletta della nave: ricordati della promessa che ti ho fatto, disse, e ti abbracciò. Tu salisti i gradini di metallo fino al portellone e sparisti. Certo che avrei voluto tenerti nel mio giardino, chi non lo vorrebbe? Ma se te ne andavi sola voleva dire che eri cresciuta forte. Chi travaglia la terra questo lo sa.

Cosimino preme sul clacson e ci lasciamo indietro un'altra automobile, e sono centocinquantasette. Tua madre stringe la maniglia sotto il tettuccio e recita il rosario a bocca chiusa. – Salvo, – dice tra una orazione e l'altra. Quando mi chiama per nome o è per rimprovero o è per paura. – Chiudi il finestrino, che mi sento un freddo dentro le carni.

Giro la manovella e un'ultima lingua di aria bollente mi liscia la guancia.

– Non devi avere timore, stiamo tornando a casa, – le dico prendendole le dita gelate.

– Io casa a Martorana non ne ho piú.

– Che dici, Amalia. La casa è dove ci stanno i figli.

La casa è dove un giorno speri di rientrare, penso tra me, anche se ti ha trattato come estraneo. La casa è da dove vuoi scappare, anche se ti ha insegnato a parlare e a camminare. Quando quello là uscí libero, dopo nemmeno un anno di galera, la gente si scappellava al suo passaggio, come fosse tornato da una bella villeggiatura. E per fortuna che te ne eri già partita! Lui si pavoneggiava, ripeteva in lungo e in largo le cose che Criscione aveva detto al processo, non me le posso mai dimenticare: le ragazze vogliono essere persuase, bisogna spingere con la forza per rompere la loro naturale riservatezza, l'uomo innamorato ha i suoi diritti. Ce le ho ancora stampate dentro la testa, le parole dell'avvocato: una giovane non bellissima, disse, certamente non ricca, con l'unica prospettiva di un matrimonio conveniente. La malizia della sua età, le occhiatuzze, i sorrisini, è riuscita a guadagnarsi l'attenzione di uno dei migliori scapoli del paese. Certe arti femminili si imparano in famiglia: sua sorella maggiore ha ottenuto le nozze con il nipote del sindaco facendosi mettere incinta e la stessa sua madre se ne era scappata in gioventú, sposandosi a cose fatte. Qua la fuitína è tradizione di famiglia.

Cosí disse, pari pari. Altro che avvocato, peggio di una comare di paese!

Tua madre mi tira per la manica, mi volto verso il finestrino e riconosco le forme e i colori delle case. Cosimino rallenta, anche se la strada davanti a noi è libera, come se il traffico si trovasse ora dentro la sua testa. – Siamo tornati, – dice soltanto, nessuno gli risponde.

Quando Criscione finí di parlare, prendesti quell'espressione fredda che poi hai conservato, fu lí che capisti che giustizia non ci sarebbe stata, perché eri dalla parte sbagliata di una legge che diceva, nero su bianco, che un uomo che prende di forza una donna resta libero se le offre in compenso il matrimonio. Per quella strada senza uscita ti avevo accompagnata io.

70.

Mi ci hai portata tu per questa strada, pà, una domenica mattina con il sole a picco. Quando fummo davanti al banco dei dolci, mi chiedesti che cosa volevo, io non lo sapevo, provavo a indovinare quello che volevi tu. Stamattina la rifaccio, passo per passo, ma vado da sola: non c'è nemmeno il tuo silenzio, che è facile da deludere piú di mille raccomandazioni. Da bambina spiavo ogni ragazza andare sposa sotto il braccio del padre, che l'avrebbe consegnata a un uomo. Io non desideravo altro che mi tenessi con te per sempre.

– Buongiorno, Oliva, – mi saluta il vecchio accanto al banco.

– Biagio, buona giornata, – sorrido.

Ogni volta che passo davanti ai suoi fiori ci diamo il saluto, lui abbassa gli occhi, forse a causa di quella rosa piena di spine che mi regalò un pomeriggio di tanti anni fa. Mi fermo a osservare l'espositore, Biagio si accosta. – In cosa posso servirti?

– Oggi festeggio una ricorrenza... vorrei una bella composizione da mettere al centro della tavola.

Biagio si guarda intorno: è pieno di piante. – E che ti posso dare, Olí, dimmi tu: i gladioli, le dalie, le begonie... le rose?

– Mi piacciono i fiori di campo. Di margherite ne avete? – chiedo, lui inclina il capo e mi apparecchia un bel mazzo. Riprendo il cammino, a ogni passo sento il fruscio della carta crespa gialla grattare contro la stoffa dei miei pantaloni. Quando sono tornata, sette anni fa, mi sentivo straniera e non davo parola a nessuno: Fortunata era rimasta in città, tu e mamma assieme a Cosimino vi eravate trasferiti a Rapisarda, dopo che quello era tornato in libertà. Non c'era rimasto piú niente quaggiú, tranne il ricordo di quella ragazzina con gli zoccoletti ai piedi e i capelli spettinati che disegnava di nascosto le facce delle divinità del cinema. Presi in affitto questa casa sul mare nella parte nuova del paese per non dover incontrare nessuno e ci restai chiusa dentro fino all'inizio della scuola. Mi chiesi a che cosa fosse servito tornare, oltre che a giocare a nascondino con i brutti ricordi. Poi un poco alla volta iniziai a uscire, qualcuno mi riconosceva, mi guardavano di traverso, non riuscivano a trattenere lo stupore. Mi salutavano con soggezione quando venivano a sapere che ero la nuova maestra. Buongiorno, signorina Denaro, si impappinavano, temendo di farmi offesa a chiamarmi «signorina» perché ero rimasta nubile. Buongiorno, rispondevo io senza curarmene. Di portare il tuo cognome non avevo imbarazzo.

Una domenica la Scibetta mi fece arrivare un invito a pranzo. «Dovevi dirmelo che rientravi, Oliva cara, tu adesso sei persona di famiglia, cosí ci facciamo parlare dietro dalla gente!» Il salotto era rimasto uguale, invece che sulla panca mi fece accomodare in poltrona, ma mi offrí le stesse gallette stantie che sapevano di infanzia. Le serví Miluzza su un vassoio che ricordavo fin dai tempi in cui io ancora provavo a immaginare il mio futuro mentre lei già sapeva che il suo sarebbe stato lí, accanto a quella donna la cui accoglienza aveva dovuto pagare con la propria libertà.

«Nora, Nora», gridò la Scibetta. La figlia larga occupò lo spazio della porta e mi sorrise senza contentezza: tra le due, alla fine, era toccato a lei restare in casa, mentre il ritratto di Mena davanti alla chiesa era esposto in bella vista sulla credenza. Mi avvicinai per osservare: c'eravate tutti, nella foto, intorno agli sposini. Maddalena mi aveva prestato una camicetta elegante per partecipare alla cerimonia, poi, all'ultimo, avevo rinunciato a partire. Anche quel matrimonio era colpa mia: lavoro per te e per Cosimino non ce n'era piú, Antonino Calò aveva provato tramite il partito, si trattava di spostarsi in continente, ma tu eri sofferente di cuore e mio fratello di nostalgia. La Scibetta aveva ritenuto allora che era arrivato il suo momento e aveva proposto a Cosimino una delle due figlie, a scelta, in aggiunta a certe sue terre di famiglia che erano situate dall'altra parte della regione. Lui aveva fatto il pari e il dispari per due giorni e due notti e infine si era presentato dalla Scibetta. «Mi prendo Mena», aveva dichiarato. Lei si era sposata con il corredo che io stessa avevo ricamato tempo addietro, lui aveva indossato l'abito rivoltato del novello suocero, e don Ignazio li aveva benedetti fin che morte non li separasse. Non lo sapeva ancora che di là a poco, con la legge sul divorzio, sarebbero bastati un avvocato e un giudice a separare quello che Dio univa. Qualche anno dopo, era nata Lia.

L'aveva salvato veramente, l'onore nostro, Cosimino. Con due fedi d'oro, invece che con la lupara. Si era sacrificato per la famiglia e tu lo avevi lasciato fare, come per Fortunata. Solo per me avevi preteso libertà, mi avevi portata a braccetto per tutto il paese a sfidare le leggi non scritte dell'onore e del disonore. Quale amore speciale hai avuto per me, quali speciali attese, a quali prove mi hai voluto sottoporre?

Forse è stato per via dei babbaluci, per la capacità di parlarci coi silenzi, per la mano che di nascosto mi stringevi appena appena, per il giallo che grondava dai pennelli il giorno che, di comune accordo, pittammo la gabbia delle galline.

71.

Mica ci pensai che la vernice poteva fare male alle bestie. A volte le cose sembrano buone ma dentro nascondono il veleno. Come quando ti portai da lui in pasticceria.

L'automobile ora procede a passo d'uomo. Da quando siamo rientrati nel paese, Cosimino ha perso la spavalderia e si guarda intorno come quel ragazzo magro e deboluccio che era stato. La piazza è tutta uguale, vent'anni sono stati un giorno. La chiesa, il commissariato dei carabinieri, i due bar con i tavolini fuori, le vetrine della pasticceria.

Ci fermammo proprio là davanti, ce l'ho stampato in fronte quel momento, ti volli portare da lui per togliergli ogni dubbio. Poteva mai uno come quello fare la tua felicità? Questo pensavo, ma che ti devo dire, la verità è che forse non c'era uomo al mondo che potevo immaginare accanto a te. Volevo farti scegliere in libertà e invece mi sono messo al posto tuo, magari ti ho presa sotto il braccio non per darti sostegno ma per portarti dove dicevo io, e sentirti dire le parole che volevo ascoltare. Peggio dei padri con la lupara, sono stato, di quelli che pretendevano il baciamano. Non ti ho voluto consegnare a un uomo prepotente, come era successo già con Fortunata, ma ti ho persa lo stesso, in un modo diverso. Perché è forse destino dei genitori perdere i figli. La cosa buona che un padre può fare è mettersi da parte e lasciare andare.

Dopo il processo, tu partisti per Napoli e al paese non mi era rimasto piú niente. Niente terra, niente bestie, niente figlie. Fortunata già si era sistemata in città per scappare dalle maleforbici e quasi subito aveva preso il posto in fabbrica grazie all'aiuto della compagna di Maddalena. Lavorava alle conserve di pomodori, io e tua madre quando ce lo comunicò facemmo tanto d'occhi. Chi ce lo doveva dire? Quella ragazza cosí delicata che ogni mattina si metteva la tenuta da lavoro e timbrava il cartellino!

Quando Cosimino partí per Rapisarda, nelle proprietà di sua moglie, andammo insieme a lui, che facevamo noi da soli? Negli anni ha dimostrato il fatto suo, le terre della Scibetta erano abbandonate e invece lui le ha messe a produzione. Ci puoi credere che esporta le arance anche nel continente?

E sai com'è finita, Olí? Chi fece di testa sua, bene fece. Il nuovo marito di Fortunata fa il sindacalista nella stessa fabbrica, e le mani, a differenza di quell'altro, le usa solo per travagliare. Mena e Cosimino ci invitano a pranzo una domenica sí e una no, e mi sembra che hanno fatto un matrimonio buono: due persone che si stanno vicino senza farsi violenza, né con i gesti né con le parole.

Lo sai che cosa sono i figli? Sono come quei semi portati dal vento che vengono a germogliare nella tua terra, devi lasciarli crescere per capire che frutto daranno, mica lo puoi stabilire tu dal principio. Pensavo di avere tre piantine deboli e ho scoperto nel mio campo tre alberi fruttuosi e resistenti. Anche dalla terra bruciata dal sale può rinascere vita.

72.

Anche dalla terra bruciata dal sale può rinascere vita: l'ho imparato da te, pà, dai gesti delle mani. Scavare, seminare, tagliare, innaffiare. Infilo nella sporta il bouquet di margherite, con delicatezza, per non gualcire i petali, e procedo a passo svelto verso l'ultima destinazione.

Ho fatto sistemare nella mia classe uno scaffale pieno di libri e alcuni vasi pieni di fiori. Alla fine di ogni giornata, i bambini leggono a turno a voce alta mentre gli altri si dedicano alle piantine. Alla maestra Rosaria sarebbe piaciuto: forse sono voluta tornare in questa scuola per riportarci anche lei.

Col tempo sono arrivati i figli delle mie compagne di scuola: le due bambine di Crocifissa, a un anno di distanza, entrambe brune e con gli occhi di carbone come la madre; il figlio maggiore di Rosalina, che ne ha un altro all'asilo e un terzo lo porta in pancia; la bambina di Tindara, bionda e con gli occhi verdi, la riconobbi subito perché era identica alla foto dell'uomo che sua madre mi aveva mostrato una mattina di parecchi anni fa, sul sagrato della chiesa.

«Avevi ragione tu, – mi dice Tindara fuori scuola quando viene a prendere la figlia. – Me lo presi solo per la sua bella faccia, ma ogni volta che apre la bocca mi fa venire il fuoco di Sant'Antonio. Lui dice bianco e io dico nero, lui dice alba e io dico tramonto. E poi, – si guarda intorno e abbassa la voce, – che ti devo dire: è bello ma non balla. La gente mi chiede quando le regaliamo la sorellina o il fratellino, – si volta verso la bambina. – La statua del santo passò una sola volta: se mi facevo monaca era la stessa cosa, i maschi sono come le angurie, bisogna provarli prima di portarseli a casa, che dici, Olí?»

Quando è arrivata Marina non ho avuto bisogno di leggere il cognome sul registro di classe per capire. Il primo giorno mi ha raccontato che si erano trasferiti dalla città perché, dopo la morte del nonno, suo padre era dovuto tornare qui al paese per occuparsi degli affari di famiglia. Ha detto che le mancano gli amici di prima, ma è contenta perché il pomeriggio può andare in pasticceria e il papà le fa assaggiare le creme sulla punta del coltello. È vivace, ossuta e con gli occhi nerissimi, fuori scuola l'aspetta la madre: una donna piccola e silenziosa, per nulla appariscente. Quando i nostri sguardi si incrociano abbassiamo un po' il mento per salutarci. Quella donna avrei potuto essere io.

Figli di Musciacco invece non ne sono arrivati. Dopo l'annullamento dell'unione religiosa si è riproposto l'anno seguente a don Ignazio con qualche capello in meno, qualche chilo in piú e una moglie piú giovane vicino. L'erede tanto atteso, però, non è ancora arrivato. E quel bambino che aveva tolto a Fortunata a forza di botte gli pesa, forse, piú della condanna che non ha mai avuto.

73.

Eccolo là, il palazzo dei Musciacco, in fondo alla via principale, è rimasto uguale ma ora sembra piccolo rispetto a un tempo. Oggi alzano costruzioni cinque volte piú grandi in un quinto del tempo, che ti credi, la vecchia ricchezza ha lasciato il posto a quella nuova.

Ci andai il giorno dopo che Fortunata se ne era scappata di casa. Che cosa speravo di ottenere, non lo sapevo neanche io: volevo capire, magari mettere pace, pensavo ancora che portando ognuno la propria ragione si potesse arrivare a intendersi. Come si dice: soltanto le montagne non si incontrano, ma mi ero sbagliato un'altra volta.

Salii le scale con il cuore in gola, Gerò mi fece fare anticamera per una mezz'ora e poi mi invitò a entrare. Fumava il sigaro e beveva vino accomodato sul divano. Né lui mi offrí niente, né io avrei accettato.

«Voi mi dovete delle spiegazioni», dissi, in piedi davanti a lui, con la voce che mi tremava dalla rabbia. Ma la collera piú che per lui era per me stesso, che non ero stato capace di vedere che cosa succedeva dietro quelle mura. Lui rispose che aveva ricevuto Fortunata dalle mie mani e che l'aveva trattata come un gioiello, ci puoi credere che disse proprio cosí? Lei invece era stata ingrata, per seguire l'esempio della sorella aveva voluto fare questa pazzia di andarsene di casa e lui non se la sarebbe ripresa una che aveva passato piú di una notte fuori. «È questione d'onore», disse, e schiacciò il mozzicone del sigaro nel portacenere.

«Ma Fortunata è rimasta sotto il mio tetto!»

«E avete fatto male a riprenderla, me la dovevate riportare la sera stessa. Io sono un galantuomo, non la marionetta di vostra figlia. Adesso ve la potete tenere, ma lo deve sapere tutto il paese che sono io a non volerla piú, dopo che ha abbandonato il tetto coniugale. E mi dovete pure ringraziare se non sporgo denuncia al commissariato. Questo matrimonio è stato tutta una truffa fin dal principio e io lo farò annullare dalla Sacra Rota».

Il fumo del sigaro mi pungeva le narici. Restare in quella casa era come parlare al mulo: sprechi parole e tempo. Meglio tenerla in casa e disonorata, mia figlia, che nelle mani di quell'individuo, pensai. Scesi le scale con un dolore in petto che mi toglieva il fiato, mi trattenni sul portone per riposare e asciugarmi le gocce di sudore. Proprio in quel momento arrivò Paternò fischiettando: «E voi che ci fate qui? – chiese meravigliato. – Non sono nemmeno piú libero di fare visita a un caro amico che vi trovo appostato nell'androne», e senza guardarmi principiò a salire per le scale.

Il braccio sinistro mi formicolava, aprii la bocca ma la voce usciva a stento. «Non sono qui per voi né per affari che vi riguardano», gli dissi a filo di fiato.

Lui si fermò e mi piantò gli occhi in viso.

«Avete stabilito la data per il matrimonio?» chiese con aria di superiorità, e si osservò il profilo delle unghie con aria svagata.

«Mia figlia non vi vuole, mettetevelo in testa. Ma se voi...»

«Allora non abbiamo altri discorsi da fare», mi interruppe, e riprese a salire, stavolta piú svelto.

«Aspettate! – tentai di fermarlo. – Se voi le chiedete scusa pubblicamente e vi mostrate pentito per averle con la forza tolto la decenza, noi ritiriamo le accuse e non ci sarà processo», mormorai con il cuore che mi martellava sotto la camicia.

Come se avessi raccontato una barzelletta, che ti credi. Paternò mi osservò dall'alto della prima rampa, si piegò su sé stesso atteggiando la bocca a risata e tirò fuori il fazzoletto dalla tasca fingendo di asciugarsi le lacrime per le risate.

«Ma che andate dicendo? State scherzando o fate davvero? Di quali scuse parlate? Io sono nel giusto, sto dalla parte della legge: io me la volevo sposare, quella disgraziata di vostra figlia, ha avuto la sua opportunità. Le ho anche offerto un assaggio di luna di miele per farle capire che cosa si perdeva a fare la difficile. Ma lei ha preferito obbedire al padre invece che al suo cuore. Sapete qual è la verità? Voi volete passare per un genitore moderno, ma siete peggio dei vecchi mangiarane del paese: vostra figlia la comandate a bacchetta, meglio zitella che con uno che non vi viene a genio, è vero? Il vostro orgoglio è la disgrazia di Oliva, non la mia passionalità. Voi l'avete rovinata».

Salí le rampe facendo i gradini a due a due. I passi rimbombavano per la tromba delle scale e si confondevano con i palpiti del mio cuore che galoppavano all'impazzata. Lo sentii affacciarsi alla ringhiera due piani piú sopra e gridare: «Perdono! Ma quale perdono? Voi dovreste chiedermi scusa in ginocchio per aver osato portare il mio nome dentro a una caserma. Vedrete come finisce: vi ci spaccherete le corna! Io ho conoscenze, la sentenza è già scritta: vi ci spaccherete le corna!»

Poi, riprendendo a fischiare, bussò alla porta ed entrò in casa.

Sedetti sul primo gradino e aspettai che il ronzio nell'orecchio si calmasse. Potevo mai morire in quel momento e lasciare sole le mie figlie? A volte nella vita non ti rimane che sopravvivere. Mi rimisi il cappello per nascondere il sudore freddo che mi colava sulla fronte e, lentamente, a piccoli passi, tornai a casa.

Amalia indica le vie del paese a Lia, che fa di sí con la testa e continua ad ascoltare le urla dei suoi cantanti. Io per istinto mi porto la mano al braccio sinistro anche se male non c'è, da quando Cosimino mi ha pagato l'operazione alle coronarie dal migliore specialista di tutta la regione. Certi dolori col tempo se ne vanno, altri non c'è ferro chirurgico che li possa levare.

Io lo sapevo, Olí, come finiva il tuo processo, questa è la verità. Tu però eri decisa ad andare avanti, che cosa dovevo fare? Mi pareva di essere nella rete del leone, che piú travaglia e piú si imbriglia. E a sbagliare nella vita non si smette mai.

74·

A sbagliare non si smette mai. Quando ero piccinna mi sembrava di avere una luce dentro che mi indicasse sempre dove andare per non commettere errore, come nelle divisioni a due cifre, anche quelle con la virgola. Poi, a mano a mano, quella luce si è offuscata e dopo la prima scivolata mi è rimasta sempre la paura di cadere. Mi pentii subito di essere tornata a Martorana, e dopo la visita alla Scibetta smisi di salire al centro antico, me ne stavo sempre sulla via del mare, in mezzo alle case nuove. Un giorno presi coraggio e rifeci lo sterrato che, zoccoletti ai piedi, avevo battuto mille volte, con la pioggia e con il sole. Tanto sforzo per niente: la nostra casetta non c'era piú, la tua terra era stata sbancata e al suo posto erano state gettate le fondamenta per un palazzo moderno, in cemento armato. Me ne tornai a mani vuote: ero venuta per cercare qualcosa che non esisteva. Mi dissi che avevo fatto male a tornare, che avrei dovuto venire a starmene da voi, nelle terre della Scibetta. Non me l'hai mai chiesto, tu non chiedi niente, ma io sapevo che lo desideravi: la casa è grande, nessuno conosce i fatti nostri, la gente ci guarda schietto in faccia per la via, dicevi al telefono. Alla fine avevo deciso di raggiungervi.

Poi, un giorno, sentii dei passi fuori dalla mia porta, li riconobbi subito, dal ritmo sghembo che accompagnava i miei giochi di piccinna. «È aperto», dissi dalla cucina, senza muovermi.

«Ti ho aspettata, Olí», disse quando ci trovammo seduti ai lati opposti della mia tavola da pranzo.

Portava i capelli piú lunghi e la barba rossiccia, che gli nascondeva la voglia sulla guancia sinistra.

«A me? E per che cosa?» risposi.

«Per ogni cosa».

Saro non sorrideva, aveva in faccia l'ostinazione di chi nella vita è sempre andato a sbattere contro l'ostacolo del suo corpo prima che contro gli altri.

«Quello che ti posso offrire lo sai: la falegnameria di mio padre, i trucioli di legno che si confondono con i capelli, un pezzo piccolo di terra, tutto questo latifondo di amore che mi preme qua sul petto da quando giocavamo con le nuvole. E poi la ricetta segreta di mia madre della pasta con l'anciòva».

Era la parte migliore della mia infanzia: Nardina e don Vito Musumeci, le estati trascorse all'ombra del grande albero di fronte alla falegnameria, il profumo dei legni appena tagliati, cedro, noce, ciliegio, ognuno diverso, la voce di Nardina che ci chiama per il pranzo, le persiane socchiuse nella controra.

Potrò ancora avere questo?, mi chiesi. Sarò ancora capace di alzare gli occhi e vedere nitida in cielo la forma esatta del marfoglio?

«No, – dissi. – No, Saro. Non è piú il momento».

Saro non disse nulla, mi sfiorò una mano e se ne andò. Qualche giorno dopo preparai la domanda di trasferimento, la sigillai nella busta e me la misi in borsa, ma passavano le settimane e alla posta non ci andavo. Un mese dopo invece mi recai in falegnameria e chiesi a Saro di venire a casa a prendere le misure per un armadio a muro. Lo vidi lavorare in silenzio per alcuni giorni, senza chiedere niente. Il tempo tra noi passava leggero, le parole e i silenzi si mischiavano e i gesti precisi ed essenziali delle sue mani che mettevano a registro le tavole di legno mi fecero immaginare che avrei potuto affidargli anche le mie ossa, le cartilagini, la pelle e i pori della pelle. Li avrebbe maneggiati con la stessa cura.

Quando il lavoro fu finito, mi domandò di che tinta lo preferivo. Io alzai le spalle e rimasi in silenzio, come quando tu, papà, mi avevi portata in pasticceria a comprare i dolci. Non ero abituata a riconoscere i miei desideri.

Saro si grattò la guancia e di nuovo ebbi voglia di sapere se davvero la sua macchia avesse il sapore della fragola.

«Se fosse casa tua, come lo vorresti?» gli chiesi.

«Io preferisco il colore naturale, – disse, – basta una passata di olio impregnante per farlo risaltare, – e si mise a cercare tra alcuni barattoli di vernice allineati su uno scaffale».

«Facciamolo naturale, allora», risposi, e afferrai un pennello, contenta come da piccinna, quando insieme avevamo dipinto il pollaio.

75.

Tua madre non ci poteva pensare che a una figlia femmina piacevano i lavori da maschi. Ma ognuno è fatto a modo suo e il metro del giudizio lo possiede solamente nostro Signore Iddio. Mena, per dirne una, non insisteva che Lia facesse danza classica? E invece è venuta fuori la passione del tennis. E che le vuoi dire?

Adesso, vedi, passiamo davanti alla chiesa dove sei stata battezzata e comunicata e china gli occhi, come se cercasse qualcosa dentro la borsa, ma le mani frugano a vuoto. Che ti credi, che non la capisco da ogni gesto, dopo tanti anni?

«Non mi piacciono i festeggiamenti», dicesti per telefono, a cose fatte. La cerimonia ce la raccontò Mena, che aveva saputo da sua madre. Alle sei del mattino, con la chiesa deserta, c'erano solo Nora e Nardina a fare da testimoni. Dopo la benedizione di don Ignazio tornaste a casa, Saro andò in falegnameria e tu ti preparasti per la scuola. I fiori del bouquet li distribuisti alle tue alunne e giocaste insieme a m'ama non m'ama. Tua madre non se ne è piú fatta una ragione: ma come, di nascosto, nemmeno si stesse rubando il sacramento dalle mani di nostro Signore! E l'abito, e il corredo?

Amalia sospira e torna a guardare dal finestrino. Della cerimonia non c'è rimasto niente, nemmeno una foto ricordo. Non c'era tua madre a piangere di commozione in prima fila, non c'erano i tuoi fratelli a fare da testimoni, non c'erano le amiche della scuola, non c'era Liliana a tenerti il velo, non c'erano i parenti dello sposo a gettare il riso sul sagrato della chiesa, non c'era l'organo con la musica, non c'erano i cantanti, non c'era l'odore dell'incenso, non c'erano i chierichetti con le vesti troppo lunghe strascicate sotto i piedi.

Non c'ero io ad accompagnarti per la navata e a consegnarti. Ti sei consegnata da sola. Vi siete messi l'uno nelle mani dell'altra. Giusto, sbagliato? Che deve dire un padre? Forse per darti a un uomo hai avuto bisogno di essere lontana da tutti, anche da me.

76.

Da don Ignazio ci presentammo mano nella mano, come se marito e moglie fossimo già e andassimo da lui solo per dargliene notizia. Nora piangeva, forse solo perché aveva contato su di me per non rimanere l'ultima zitella del paese. Nardina si era fatta arricciare i capelli dal parrucchiere la sera prima e mettere lo smalto sulle unghie, anche se all'alba, nella chiesa vuota, nessuno l'avrebbe vista. Immaginai che dopo una vita passata a essere giudicata brutta, aveva imparato a farsi bella solamente per sé. Il fascino di don Vito Musumeci invece era offuscato e quasi stinto dagli anni. Il tempo trascorso insieme li aveva ravvicinati: come la gomma pane sfuma i contorni piú netti del tratto della matita, la vecchiaia aveva ingentilito i difetti di lei e sfocato la bellezza di lui. Si tenevano per mano sulla panca di legno della chiesa, indifferenti, infine, al giudizio dei compaesani.

Saro si era sbarbato, io avevo steso un po' di polvere rosata sulle guance per mascherare la stanchezza.

La notte prima non ero riuscita a prender sonno. Faceva caldo, poco prima dell'alba uscii sul balcone e mi sedetti a respirare il fresco che saliva dal mare. C'era un altro rumore, mischiato a quello delle onde che si infrangevano sugli scogli, uno spazzolare vigoroso e ritmico. Mi affacciai e guardai in strada, davanti al portone riconobbi la sagoma della signorina Panebianco, aveva una scopa in mano e sfregava la strada davanti al palazzo.

«Donna Carmela, – la chiamai, – che fate a quest'ora?» Lei alzò la testa, sotto il riflesso della luna riluceva la treccia bianca che le cingeva il capo.

«Scusami, bella mia, se ti ho svegliata», rispose.

«Per carità, ero già in piedi, non riuscivo a prendere sonno. Ma voi?»

«Sto pulendo la strada, – sussurrò, – per il passaggio della sposa. Il vestito deve restare immacolato». Poi venne sopra per acconciarmi i capelli.

Prima di percorrere la navata, Saro mi sussurrò all'orecchio: «Dimmi solo se mi sposi per pena, – e accennò alla gamba destra, – va bene lo stesso, ma voglio saperlo prima». «E tu?» domandai a mia volta. Mi prese a braccetto e ci incamminammo verso l'altare: lo sciancato e la svergognata.

La prima notte di nozze Saro mi tenne la mano, steso accanto a me, dentro al mio letto. Dovevo imparare a conoscere il suo corpo, prenderci confidenza come con un animale selvatico. Lo osservavo mentre dormiva, sotto la doccia, nel mettersi i vestiti e quando, al mattino, si radeva la barba facendo attenzione a quella fragola rossa sulla guancia che fin da bambina avrei voluto assaggiare. E giorno dopo giorno mi sembrava che il Saro bambino avesse sempre contenuto quello adulto e che l'adulto mostrasse, visibilissime in controluce, le tracce del bambino. Fui io a cercarlo, una notte, come se all'improvviso avessi trovato aperto un varco che credevo serrato.

È cosí con le paure: sono porte che esistono solo fino a quando non abbiamo il coraggio di attraversarle.

Anche adesso ho paura, pà, mentre arrivo dall'altro lato della piazza e mi trovo, per la seconda volta e dopo tanti anni, davanti alla stessa porta. «Pasticceria Paternò», recita l'insegna, che non è mai cambiata. Mi affaccio al banco:

non c'è nessuno ma dal retrobottega provengono rumori. Mi guardo indietro e penso che sono ancora in tempo per uscire, come una gallina che ha smarrito la direzione. Poi però sento dei passi e una figura appare dietro la vetrina delle paste di mandorla.

La sorpresa gli lascia qualche secondo di incertezza, come se non riuscisse a mettere a fuoco l'immagine. L'ultima volta che mi ha vista, quasi venti anni fa, aveva in faccia la superbia di chi ha vinto: perché è piú forte, perché è piú potente e perché può contare su una legge che gli dà ragione anche se ha sbagliato.

Mi scruta rapidamente e abbassa gli occhi sui pasticcini. È da quando è tornato a Martorana, dopo la morte di suo padre, che ho atteso questo momento. Ma ci è voluto tempo, ci sono volute donne piú combattive di me e tanti altri «no», gridati piú forte del mio, che si sono sommati al mio. Ci sono voluti anni fatti di giorni, giorni fatti di ore, ore fatte di minuti, minuti fatti di secondi di attesa.

77·

Ci sono voluti la tua telefonata, il tuo invito a pranzo, la tua cocciutaggine per rifare tutto il cammino fino al paese, strada per strada, palazzo per palazzo, salita per salita. La piazza sempre uguale, anche con i negozi nuovi, lo stradone selciato di fresco, l'incrocio con lo sterrato che portava a casa nostra. Lo svincolo per la litoranea e le palazzine nuove, sul lato del mare, che sempre mi ha fatto paura, perché il mare non tiene radici.

Cosimino parcheggia la macchina e tutti scendiamo, un poco indolenziti. Amalia si stira il vestito con le mani e guarda intorno. Questa è la tua casa, tu vivi qui una vita che ci è sconosciuta, in un palazzo moderno, costruito una decina di anni fa nella parte nuova di Martorana. Al posto dell'odore della terra si sente puzza di acqua salata, eppure proprio qui hai deciso di rifiorire. – Quarto piano, – risponde la voce al citofono, – c'è l'ascensore. – Io salgo a piedi, – dico, mi avvio per le scale e Lia mi segue cantando a bassa voce in una lingua sconosciuta.

Saro ci accoglie un poco vergognoso, mi sembra tornato il piccinno che era, mentre ci mostra la casa e ci fa entrare nella vostra vita nascosta: stoviglie appaiate, accappatoi appesi vicini, cuscini accostati. – Bene, vi siete sistemati proprio bene, – stabilisce Cosimino, e Mena fa di sí con la testa. Io lo so a che cosa sta pensando, che ti credi? Sta pensando che, se ve ne veniste da noi, altro che due stanze e un cucinino. E pure Saro potrebbe lasciare la bottega e mettersi in affari con lui. Ma voi è qua che volete restare, chinati giunco che passa la piena e arriva il momento di sollevare la testa.

78.

Come dicevi sempre tu, pà? Chinati giunco che passa la piena. E questo è il momento mio.

– Buongiorno, – gli dico senza abbassare lo sguardo.

Lui sembra frastornato, afferra la pinza dei dolci, ma la mano tradisce un tremito. È invecchiato, i capelli che erano ricci e neri adesso sono venati di grigio sulle tempie e l'attaccatura inizia ad arretrare. Mi prendo la libertà di osservarlo con calma: gli angoli della bocca che virano verso il basso, la pelle sotto gli occhi un poco gonfia, la fronte vergata da tre linee orizzontali che, da quando mi ha riconosciuta, si sono fatte piú profonde. Nessun profumo di gelsomino: ha perso il vezzo del fiore dietro l'orecchio, come un albero inaridito. I rami no, quelli resistono: le braccia forti spuntano dalle maniche arrotolate ma il ventre è prominente e tende il camice da lavoro. Quando alza gli occhi, li riconosco uguali eppure piú miti. Mi ausculto il cuore, appena un battito di emozione e torna al suo ritmo. Mi afferro da sola una mano con l'altra e la stringo due volte, per farmi compagnia.

È ancora bello, Paternò, non bello come a vent'anni, quando il suo passaggio fendeva l'aria e faceva girare anche le sante. Bello come chi ha conosciuto nella vita la tristezza di aver vinto senza merito, e non averci ricavato niente.

– Vorrei una torta per un festeggiamento speciale: che cosa posso prendere di pronto?

Paternò posa la pinza, sospira e si ravvia i capelli con le dita. Nell'angolo sinistro del negozio c'è l'espositore con le torte, me lo indica con il palmo della mano destra rivolto all'insú. Cammino verso la vetrinetta, i miei sandali producono un debole scalpiccio sul marmo del pavimento. È per un tacco rotto che ci troviamo, oggi, ai lati opposti del bancone. Mi fermo davanti ai colori variopinti delle farciture con l'acquolina di quando ero piccinna.

– Una cassata per tutta la mia famiglia, – dico, indicando quella piú grande.

Lui non risponde, esce da dietro al banco, si ferma, io non arretro. Guarda la vetrinetta, poi me, riprende a camminare, in pochi secondi ha estratto la cassata dalla teca e la regge con entrambe le mani. All'improvviso gli riconosco l'odore della pelle, poi lui si gira e torna al suo posto. La forza che mi teneva in piedi finora sembra scomparire, come dopo una lunga corsa. Le ginocchia tremano per lo sforzo mentre seguo le sue azioni come al rallentatore: prende un contenitore di cartone, lo sistema al centro del banco, vi infila il dolce, lo richiude con meticolosità, afferra la carta con sopra il suo cognome, ci avvolge dentro la scatola, srotola lo spago dorato da un rocchetto, lo recide con le forbici, lega l'involto e ne arriccia i margini con la lama. Gesti neutrali, che non hanno nulla di scabroso, mani senza crudeltà, le stesse che probabilmente alla sera rimboccano le coperte a sua figlia. Dov'è la furia, dove sono il disprezzo e l'arroganza? E il male che mi ha fatto, lo ha attraversato senza lasciare alcuna traccia? Tutte le parole che avrei voluto dire mi affogano in gola, l'uomo con cui ho combattuto per tanto tempo non è esistito che dentro ai miei incubi, e quello che ho davanti non merita neanche di essere il mio avversario.

Seduto sullo sgabello di fianco alla cassa, finalmente lo vedo per come è: mi pare stanco, invecchiato male, deluso, come tutti, dall'età. Anche lui ha perso, anche lui è una vittima: dell'ignoranza, di una mentalità antiquata, di una mascolinità da dimostrare a tutti e a ogni costo, di leggi superate dal tempo e dalla storia, eppure ancora in vigore, almeno fino a ieri. Aveva ragione Maddalena, pà, nessuna donna è fragile: fragile è solo chi è esposto all'ingiustizia.

Controllo il prezzo sulla targhetta dentro la vetrina e deposito i soldi accanto alla cassa. Prendo il pacco dopo che le sue mani lo hanno lasciato, sono quasi fuori quando mi raggiunge la sua voce.

– La cassata non la volesti, quel giorno. Era bugia?

Le sue parole mi si infilano sotto la pelle come un aculeo di riccio, e per un momento riaffiora in lui quell'altro, quello che a un solo sguardo mi riempiva di vergogna. Eppure so che non può farmi male, perché io non sono piú la sua vittima. Ha un tono sfottente, come un tempo, ma la domanda è vera: vuole sapere, lui da me, se è colpevole o no. La risposta del tribunale non gli è bastata, mi chiede di giudicarlo, adesso, venti anni dopo, nella pasticceria che suo padre gli ha lasciato in eredità.

Mi accosto al bancone, si è alzato e mi fissa dalla parte opposta, è lui ora il piú debole. – Di quello che desidero, io non devo dare conto a nessuno, – rispondo, senza arretrare di un passo. Le regole del riscatto sono le piú complicate: le scopri solo quando lo hai già conquistato.

– Perché sei venuta qua, allora? – insiste, e alza via via il tono della voce, che però si increspa di inquietudine, come se aspettasse da me una punizione. – Per dirmi che hai avuto ragione a rifiutare tutto quello che ti offrivo? Che cosa ci hai guadagnato?

Le sue urla non mi spaventano: non è il mio persecutore, è solo un uomo, uno che non ha nemmeno capito fino in fondo la sua colpa. Con voce calma, come fossi alla cattedra della Terlizzi, scandisco ogni parola perché conosco bene la risposta.

– Sono venuta a comprarmi con i soldi del mio stipendio quello che tu, un giorno di tanti anni fa, mi volevi dare per forza. Che cosa ci ho guadagnato? La libertà di scegliere.

Solleva le sopracciglia e non risponde. Sembra sinceramente stupito, come davanti a un fatto che non aveva mai considerato: la possibilità di dover accettare un rifiuto.

Dall'ingresso della pasticceria arriva uno scalpiccio di piedini. – Buongiorno, maestra, – dice una vocina alle mie spalle. Entrambi sussultiamo. – Ciao, Marina, – dico con un sorriso, – buona domenica a te –. Mi chino accanto a lei, le passo una mano sui capelli ed esco in strada. Attraverso la piazza con il pacco tra le mani, altre mie alunne mi salutano assieme alle madri, qualche anziano si ferma a guardare, incuriosito di vedermi uscire dalla pasticceria Paternò. Una folata di vento muove l'aria ferma di calore e io accelero il passo, percorro veloce lo stradone, poi prendo la direzione del mare e inizio a correre facendo la discesa a scattafiato. Le regole della corsa sono sempre le stesse, non cambiano mai, e io continuo ad andare, braccia e gambe e cuore, respiro a bocca aperta con le guance in fiamme, i capelli spettinati dal vento, la nuca umida di sudore, fino a quando non vedo in lontananza le palazzine nuove e la macchina di Cosimino parcheggiata poco distante da casa mia. Donna Carmelina si affaccia alla finestra: – Stanno già tutti sopra, –

dice, e mi sorride. Io mi affretto verso l'androne ma lei mi richiama indietro: – Olí, un momento: poco fa il postino ti ha portato questa, – e mi consegna una busta da lettera senza mittente. La infilo in borsa e mi precipito per le scale, le faccio a due a due, premo il pulsante del campanello, si apre la porta e ci sei tu.

79.

Apro la porta e ci sei tu, porti una scatola con sopra il nome della pasticceria. Perché hai voluto che ci fosse anche lui oggi con noi? Forse perché ogni cosa resta, anche quelle che ci hanno dato dolore, dico bene? Saro ti viene incontro, ti toglie il pacco dalle mani e ti chiede qualcosa con lo sguardo, tu abbassi le ciglia e pieghi la testa da un lato. Lui sorride, appoggia le labbra sui tuoi capelli e si avvia in cucina. Da una sporta cacci un mazzo di margherite un po' spampanate. Le sistemo in un vaso in salotto, accanto a quelle che ti ho portato io dal mio giardino.

Tua madre ti getta le braccia al collo e tu ti lasci stringere, quando ti libera saluti Mena e Cosimino. – E Lia? – chiedi. – Non l'avete portata? – Mena indica il balcone e solo allora vedi tua nipote affacciata alla ringhiera, a guardare il mare. – Figli piccoli, problemi piccoli; figli grandi, problemi grandi, – si lamenta Mena. – Mi devi credere, Olí, da un giorno all'altro è cresciuta e non la riconosco piú. Fino a un anno fa era una bambina ubbidiente, ti ricordi, e adesso nemmeno mi risponde quando le parlo. Ha chiesto per il compleanno quella diavoleria per ascoltare la musica che costa un occhio della testa e suo padre l'ha accontentata, come sempre. Passa le giornate in camera sua con quell'aggeggio nelle orecchie. Noi la musica la sentivamo insieme, si facevano i balletti, si chiacchierava, erano tempi migliori, i nostri. Ma ti ricordi come eravamo noi a quindici anni, Olí?

Tu sospiri e raggiungi tua nipote fuori sul balcone: te lo ricordi bene come eri, a quindici anni. Lia si gira ma non ti bacia, a differenza di quando era piccinna. Le poggi una mano sulla spalla e rimanete cosí fino a quando tua madre non ti viene a chiamare perché sono arrivati gli altri ospiti.

Fortunata è vestita a festa e sorride: finalmente le calza bene, il nome che le mettemmo. Lei e il marito tengono per mano ognuno un bambino, il terzo è nella carrozzina. Hanno portato due sporte piene di prodotti della fabbrica: confetture, lattine di olio, passate di pomodori. Queste le imbottiglia il mio reparto, precisa tua sorella, tutta orgogliosa.

Le chiacchiere aumentano ma non sono cosa per me. Tutte le frasi che avrei voluto dirti non me le hai mai sentite uscire dalla bocca ma forse ugualmente sono arrivate fino a te. Mi affaccio dal balcone, vicino a mia nipote, e guardo il mare, che sempre si muove e non si arresta mai. Non abbiamo mica bisogno di parole, noi due: lei ha la sua musica, io il mio silenzio. Stai a vedere che di tutta la famiglia questa ragazzina è quella che mi somiglia di piú. Quando Saro dice che è pronto, lanciamo un ultimo sguardo a quella confusione di onde azzurre e schiuma bianca ed entriamo in sala da pranzo, dove ci indichi i posti che hai scelto per noi: Lia tra i suoi genitori, tu accanto a tuo marito e io all'altro capo. Ci guardi, uno per uno, seduti alla tua tavola: sorridi.

80.

Vi guardo, uno per uno, seduti alla mia tavola: questo è il giorno del mio diploma, è la mia festa di fidanzamento, è il mio primo stipendio, è il mio banchetto di nozze. Non è un risarcimento, è una presenza dopo tante assenze. Prendere parola dopo avere attraversato il silenzio, recuperare fiato dopo aver corso tanto senza guardarmi indietro. È molto affollata, questa tavola, ci sono anche gli assenti. C'è Maddalena, c'è Liliana, c'è Calò, ci sta anche Sabella, ci sono le ragazze che in strada hanno bruciato i reggiseni, le donne che ora siedono in parlamento e quelle che sono a casa a fare da mangiare, quelle che prendono schiaffi e provano vergogna, quelle che si sposano solo per interesse, quelle che da dietro i vetri le chiamano svergognate, quelle che hanno studiato tanto e quelle che non sanno ancora niente, e poi c'è donna Carmelina, che di notte lustrava la strada per farmi entrare in chiesa col vestito immacolato.

I bambini di Fortunata sfrecciano per la casa, il padre, Armando, li insegue minacciando punizioni, ma io li lascio fare. Altri bambini non so se ci saranno a riempire queste stanze. Cosimino e Saro sembrano due piccinni come quando giocavano insieme, Armando cerca di conversare con te, papà, sfidando il tuo silenzio. Ti parla della fabbrica, di turni, di salario. Tu fai sí con la testa e aspetti pazientemente che finisca. Mamma e Fortunata si scambiano con Mena qualche pettegolezzo.

Lia si è di nuovo rifugiata sul balcone, nello stesso angolino in cui spesso siedo anche io. Ha infilato la punta dell'indice in una delle bobine dell'audiocassetta e la fa roteare su sé stessa. – Per risparmiare le pile, – mi informa senza che io abbia chiesto. Siedo accanto a lei e provo a iniziare una conversazione. – Quando eri piccinna... – ma lei non mi lascia continuare. – Non mi parlare come mia madre, lei mi tratta ancora come una bambina e mi dà regole per ogni cosa. Tu nella vita hai fatto a modo tuo, senza curarti del parere di nessuno, eri diversa da tutti gli altri. Anche io a volte vorrei scappare da tutto: da casa, dal paese, dalla Sicilia, come hai fatto tu.

Dal mare sale una brezza leggera e tutt'a un tratto mi sento il sangue infreddolito. – Ti sbagli, Lia. Io volevo essere identica alle mie compagne, avrei dato qualsiasi cosa per essere indistinguibile da loro.

Lia smette di riavvolgere il nastro, si scosta la frangetta dagli occhi e mi guarda meravigliata. Non somiglia ai suoi genitori, né a nessuno di noi, ha una bellezza che è soltanto sua. – Ma tu sei sempre stata un esempio per me, – confessa delusa. – Ti sei ribellata!

Le tolgo l'audiocassetta dalle mani e completo il lavoro al posto suo. – Sai quante volte avrei voluto fare lo stesso con la mia vita? Mettere indietro il nastro e ricominciare ogni cosa daccapo in modo differente?

Lia si tormenta un brufolo sotto la frangia. – Vuol dire che ti sei pentita?

– Ci sono dei «no» che non costano niente e altri che hanno un prezzo molto alto. Il mio l'ho pagato tutto, e con me la mia famiglia. Per molto tempo mi sono sentita sola, giudicata, sbagliata, ma oggi so che avevo ragione e che è stato giusto cosí. Questa però è la mia storia, e ognuno ha la sua, un po' come le canzoni –. Sorrido e le rendo la cassetta. – Tu, per esempio, che musica ascolti?

Lia si mordicchia l'unghia dell'indice e rimane in silenzio, come se fosse concentrata su un altro pensiero, poi sorride un po', lasciando intravedere l'apparecchio di metallo che porta ai denti.

– Un mio amico mi ha registrato questa –. Indica il nastro, lo infila nel walkman, schiaccia un pulsante rosso e mi porge le cuffiette.

– E com'è questo tuo amico, ti piace? – le chiedo mentre parte un brano in inglese dalla melodia romantica.

Lia mostra i palmi e inarca le sopracciglia. – Non lo so ancora se mi piace, ci vuole tempo per capirlo.

– Sei arrossita, è il tuo fidanzato! – la canzono.

– Ma zia, che dici, ho solo quindici anni.

È tardi, quando la porta si chiude e le voci e le risate si diradano giú per le scale. – Vieni a dormire, – propone Saro, – sparecchiamo domani, con calma.

È tutto sottosopra ma non mi dispiace che il nostro ordine per una sera sia stato incrinato. – Vengo subito, – gli assicuro e sento i suoi passi verso la camera da letto.

Raccolgo i piatti dalla tavola, ne faccio una pila e li porto in cucina, poi passo ai bicchieri e alle posate. Tiro a me la tovaglia e la raggomitolo in un fagotto. Non lasciare le briciole in tavola, che arrivano i morti, diceva la mamma. Meglio i morti che i vivi, rispondevi tu, pà.

Quando ogni cosa è tornata al suo posto, esco sul balcone e siedo dove solo qualche ora fa c'era Lia, apro il giornale che avevo preso stamattina in edicola e leggo: «Abrogati gli articoli 544 e 587 del Codice penale, l'Italia dice addio al matrimonio riparatore e al delitto d'onore». Un trafiletto di poche righe, in cui spiccano le parole: barbarie, codice Rocco, modernizzazione, omicidio, meridionale, nozze. Poi, tra i nomi dei promotori della proposta di legge, leggo: deputata Liliana Calò, comunista.

Mi sporgo dalla ringhiera, le luci in casa di donna Carmelina sono spente, e solo adesso mi ricordo della busta che ho riposto in borsa. Rientro lasciando le ante del balcone aperte in modo che l'aria del mare inondi tutte le stanze. Saro già dorme, spengo la luce e torno in sala da pranzo.

Sulla lettera, solo il mio nome e l'indirizzo in una grafia che riconosco. Afferro il tagliacarte dallo scrittoio e lacero la busta, c'è un carticino dai bordi bianchi con al centro un'immagine stampata in bianco e nero. Nella penombra ci vuole qualche secondo per metterla a fuoco e poi me la trovo davanti: una ragazzina scura con gli occhi neri come olive e i capelli spettinati, le ginocchia sbucciate e l'espressione imbronciata. Giro il foglio e ci trovo la scritta: «Ho mantenuto la promessa che avevo fatto a lei. Liliana».

Guardo la foto ed è come vedermi nello specchio. Sono ancora io la piccinna che corre a scattafiato senza guardarsi indietro, che conosce la forma segreta delle nuvole e che cerca risposte nei petali di margherite.

M'ama non m'ama.

M'ama non m'ama.

M'ama.

Nota.

I versi alle pp. 71-72 sono tratti dalla canzone *Nessuno*. Testo di Antonietta De Simone e musica di Edilio Capotosti e Vittorio Mascheroni. © 1959 by Sugarmusic S.p.a. Tutti i diritti riscervati per tutti i Paesi. Riprodotto per gentile concessione di Hal Leonard Europe S.r.l. *obo* Sugarmusic S.p.a.

I versi alle pp. 146-148 e 150 sono tratti dalla canzone *Non arrossire*. Testo di Maria Monti e Giulio Rapetti Mogol e musica di Giorgio Gaberscik e Davide Pennati. © 1960 by Universal Music Publishing Ricordi S.r.l. Tutti i diritti riscervati per tutti i Paesi. Riprodotto per gentile concessione di Hal Leonard Europe S.r.l. *obo* Universal Music Publishing Ricordi S.r.l.

I versi a p. 170 sono parafrasati dalla poesia *Lettera a una madre* di Alba de Céspedes, in *Le ragazze di maggio*, Mondadori, Milano 1970, © 2015, Mondadori Libri S.p.A., Milano.

La citazione a p. 171 è tratta da Lucy Maud Montgomery, *Anna dai capelli rossi*, Giunti, Firenze 2013.

La canzone citata a p. 212 è *Renato* di Alberto Testa e Alberto Cortez.

I versi alle pp. 257-259 sono tratti dalla canzone *Donatella*. Testo di Donatella Rettore e musica di Claudio Rego. © 1981 by Universal Music Publishing Ricordi S.r.l. / Senso Unico S.n.c. Tutti i diritti riscervati per tutti i Paesi. Riprodotto per gentile concessione di Hal Leonard Europe S.r.l. *obo* Universal Music Publishing Ricordi S.r.l.

Indice

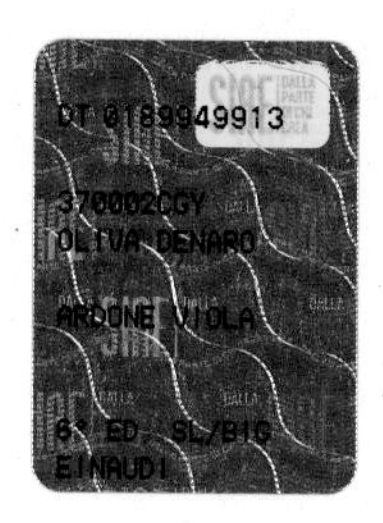

Questo libro è stampato su carta certificata FSC®
e con fibre provenienti da altre fonti controllate.

Stampato per conto della Casa editrice Einaudi
presso ELCOGRAF S.p.A. - Stabilimento di Cles (Tn)

C.L. 24797

Edizione							Anno			
6	7	8	9	10	11	12	2022	2023	2024	2025